100% TIMBOEKTOE

Carry Slee

100% Timboektoe

Eerste druk augustus 2004
Tweede druk september 2004
Derde druk november 2004
Vierde druk december 2004

ISBN 90 6494 126 2

1

Isa slaat haar armen om zichzelf heen en danst in het rond. Wauw... Ze had nooit gedacht dat ze zich hier zo gelukkig zou voelen. Toen haar ouders zeiden dat ze een camping in Frankrijk hadden gekocht en dat ze gingen verhuizen, schrok Isa zich dood. Ze was bang dat ze iedereen zou verliezen. En nu zijn ze allemaal hier: Justin en al haar vriendinnen. Ze kijkt naar de rivier, holt de steiger op en duikt het water in. Help, wat koud. Maar ze is tenminste wel meteen wakker. Als ze een paar slagen heeft gezwommen klimt ze uit het water.

Ze kijkt over de steiger heen naar een paar kinderen die dammetjes in het water bouwen. Dat is grappig, in het spiegelbeeld van het water ziet ze Kars komen. Je kunt wel aan hem zien dat ze gisteravond feest hebben gehad. Als ze zich omdraait moet ze lachen om het slaperige hoofd van haar broer. 'Je moet een duik nemen, dat heb ik ook gedaan, heerlijk.'

'Hè ja,' zegt Kars. 'Ik ben blij dat ik op mijn benen kan staan, dan zal ik zeker gaan zwemmen.'

'Ons feest was super, hè? Weet je wat ik het mooiste moment vond?'

'Doe me een lol, houd even op met dat gekakel.' Kars gaat met zijn rug naar haar toe zitten.

'Ik zeg al niks meer.' Maar haar broer kan haar humeur niet verpesten.

Frodo komt aangehold en springt in de rivier. Weer aan land schudt hij zich uit.

'Kun jij die hond niet een beetje opvoeden?' roept Kars tegen Jules.

'Ook goedemorgen.' Jules legt zijn krukken neer, gooit een bal voor Frodo in het water en gaat zitten.

Isa kijkt naar Stef en Romeo die aan komen strompelen. Aan Romeo zie je pas goed dat hij weinig heeft geslapen.

Kars moet lachen om zijn vrienden. Ze maken er ook weer zo'n act van. Romeo ploft op de steiger neer en grijpt kreunend naar zijn hoofd.

Een groepje kinderen holt over hun benen en springt als bommetjes in het water. De spetters vliegen in het rond.

'Moet dat nou?' Stef droogt zijn gezicht met zijn T-shirt.

'Ons discofeest was wel een toppertje,' zegt Jules.

'Alleen jammer van die gare deejays,' zegt Romeo, 'maar voor de rest vond ik het geslaagd.'

'Zeg dat nog eens!' Kars geeft hem een duw. Doordat Romeo zo slap is valt hij van de steiger in het water, boven op de dam van een paar kinderen.

'Die is meteen wakker,' lacht Stef. Druipend komt Romeo het water uit.

'Hij helpt jullie wel met die dam, hoor,' zegt Kars.

Maar de kinderen moeten er zelf ook om lachen. Romeo gaat midden op de steiger in de zon liggen.

'Nog iets aan te merken op de deejays?' vraagt Kars.

'Ik zeg niks meer,' antwoordt Romeo braaf.

Isa zwaait naar Sharon en Annabel. Ze ziet dat er een lachje om Kars' mond komt en dat hij rechtop gaat zitten. Zou hij Annabel dan toch leuk vinden?

'Kijk uit voor die steen!' roept Isa over het water naar een paar kinderen in een rubberboot. Maar ze horen haar niet en roeien gewoon door. De boot stoot keihard tegen de punt van de steen. Ze horen hem leeglopen.

'We zijn gecrasht!' roepen de kinderen. De boot zakt steeds dieper.

'Dat zei ik toch,' roept Isa.

'Wat?'

'Laat maar,' zegt Isa.

'Help jij ze even,' zegt Edgar tegen Romeo. 'Jij bent toch nat.'

'Ik doe vanmiddag helemaal niks meer,' zegt Romeo.

'Dat mocht je willen, we moeten de disco opruimen.' Kars trekt zijn broek uit, loopt in zijn zwembroek het water in en tilt de

boot op. 'Volgens mij kan dat lek nog gemaakt worden. Ga maar even naar de receptie, daar is mijn vader. Die kan het wel.'
Nou nou, denkt Isa, zo aardig ben je anders nooit. Doe je dat soms voor Annabel?
'Moeten we vanmiddag echt opruimen?' Stef zet gapend zijn zonnebril op.
'Ja,' zegt Kars. 'Dat wist je van tevoren.'
'Wij hebben wel geluk, zeg, dat jullie ouders hier een camping zijn begonnen. Kunnen ze geen schoonmaakploeg inhuren?'
Isa vraagt zich af of Justin wel weet waar de rivier is. Hij is gisteravond pas aangekomen. Ze wil net gaan kijken als Justin en Nona samen aan komen lopen. Edgar en Brian lopen erachter. Isa straalt als ze Justin ziet. Maar zo te zien is Justin nog niet helemaal wakker. Ze zegt maar niks. Misschien heeft hij ook wel last van een ochtendhumeur, net als Kars. Maar Justin heeft helemaal geen ochtendhumeur. Hij gaat naast Isa zitten en pakt haar hand.
'Begint het nu al?' plaagt Kars als Isa hem een zoen geeft.
'Wat denk jij nou,' zegt Nona. 'Ze hebben elkaar heel lang niet gezien, hoor.'
'Zo is dat.' Isa kruipt tegen Justin aan.
Edgar wijst naar zijn vrienden. 'Ze hebben ook eens een feestje gehad. Kunnen jullie soms nergens meer tegen?'
'Jij ziet er nog stoer uit,' zegt Romeo. 'Hoe doe je dat?'
'Een kwestie van conditie,' zegt Edgar.
'Ja ja, *mother care* zul je bedoelen,' lacht Brian. 'Je had hem net aan het ontbijt moeten zien. Mam, ik ben zo moe. Het viel me nog mee dat je niet bij mama op schoot ging zitten met je duim in je mond.'
'Ja, broertje, ga jij nou maar kijken of je ergens een oude scherf kunt vinden.'
Brian is altijd op zoek naar oude dingen. Later wil hij archeoloog worden. 'Dan mag jij voor mij opruimen, broer.' En voor Edgar terugkrabbelt, is hij ervandoor.
De kinderen komen aangerend. 'De campingbaas is er niet.'

'Laat die boot maar hier,' zegt Kars. 'Ik zorg wel dat hij wordt geplakt.'

Nou ja! denkt Isa. Dit is dus echt niks voor Kars. Het moet iets met Annabel te maken hebben. Het lijkt haar zo gezellig als haar beste vriendin verkering krijgt met haar broer.

'Hoeveel kaarten zijn er gisteravond eigenlijk verkocht?' vraagt Romeo.

'Achtennegentig,' zegt Kars.

'Zo,' zegt Romeo. 'Tegen zes euro per stuk, dat telt lekker aan. Als je pa dat ziet, mogen we de volgende keer helemaal uitpakken.'

Kars knikt. 'Dat wordt een megaparty.'

'Weet je wat mij nou gaaf lijkt?' zegt Isa. 'Dat we het ergens buiten houden.'

'Ja,' zegt Annabel. 'Zoals toen in die film. Dat was een barbecueparty!'

'Zoiets zie ik nou ook voor me,' zegt Kars.

'Ik weet een heel spannende plek,' zegt Jules. 'Ergens verderop bij de rivier is een heel groot vlak stuk rots. Een soort plateau.'

'Hoe komen we daar?' vraagt Stef. 'We kunnen toch moeilijk gaan zwemmen met al onze spullen.'

'We krijgen toch kano's,' zegt Romeo.

'Hoe zie je dat voor je?' vraagt Isa. 'Als we het goed aanpakken komen er misschien wel honderd mensen. Moeten die allemaal in tien kano's?'

'Wat denk je van een vlot?' zegt Kars.

'Yes! We maken een heel groot vlot!' Ze zijn meteen wakker.

Romeo's mobiel gaat af.

'Aha, het nieuws over onze barbecueparty heeft zich snel verspreid. De eerste aanmeldingen komen al binnen.' Met zijn mobiel tegen zijn oor loopt Romeo weg.

'Daar gaat weer iemand met een rubberboot.' Annabel wijst over het water. Maar dit keer kan er niks misgaan, de boot komt niet in de buurt van de steen.

'Kijk!' roept Nona. 'Die jongen heeft beet!'

8

'Deze jongen heeft beet,' zegt Romeo. 'Ik heb een voldoende voor mijn taak. Ik ben over, mijn pa belde net. Wie had dat nou verwacht?'

'Dat is dus echt het bewijs dat die school niks voorstelt,' zegt Kars. 'Als zelfs jij over bent...'

Jules pakt een glas en houdt het onder de kraan. Wat een stapels, voorlopig is hij nog niet klaar. In de meeste glazen zitten nog restjes bier. Hij spoelt de restjes door de gootsteen. Als zijn vader dat zag! Die zou het wel lusten.

Jules' vader is alcoholist. Hij begon te drinken toen Jules' moeder omkwam bij een verkeersongeluk. Hij drinkt zoveel dat hij niet goed voor Jules kan zorgen. Met dat gebroken been ging dat natuurlijk helemaal niet meer, daarom logeert Jules op de camping.

Nu Jules aan zijn vader denkt, herinnert hij zich ineens dat die gisteravond aan de bar stond. Het verbaast hem niks. Waar drank is, is zijn vader. Hij wilde nog naar hem toe gaan, maar vijf minuten later was hij weg. Ze hebben hem er vast uit gezet. Logisch! Wat denkt hij wel, hij is toch veel te oud voor een discofeest.

'Jules! Nona!' Brian rent de disco binnen. Hij ziet er heel opgewonden uit.

'Wat heeft die?' vraagt Romeo. 'Moet ik de ambulance bellen?'

'Dit is heel normaal voor mijn broer,' zegt Edgar. 'Hij heeft vast een spijker gevonden uit de prehistorie.'

'Zeker de prehistorie van de Gamma,' zegt Romeo.

Jules pakt zijn krukken en loopt naar Nona en Brian. Brian is zo opgewonden dat hij bijna niet uit zijn woorden kan komen.

'Een muurschildering... In de grot...'

'Heb je die ontdekt?' Jules en Nona zijn al net zo enthousiast. 'Waar?'

'In het gedeelte waar jij hebt geslapen,' legt Brian uit. 'Daar kun je nog verder. En toen zag ik 'm ineens.'

9

'We gaan kijken.' Maar dan ziet Nona Jules' gezicht. 'Sorry, jij kunt niet mee.'

Dat had Brian ook al bedacht. Als je in de grot wilt komen moet je door een heel smalle spleet en dat gaat niet met zijn gipsbeen.

'Je baalt, hè?' Nona streelt Jules' hand. 'Ik ga met Brian mee en dan vertel ik je precies hoe die schildering eruitziet, goed?'

'Niemand mag het nog weten,' zegt Brian. 'Isa wel, maar de anderen niet.'

'Natuurlijk niet,' zegt Jules. 'Dan weten ze meteen ons geheim. Gaaf, man, zo meteen heb je iets heel bijzonders ontdekt. Dan word je beroemd en dan wordt onze grot ook beroemd.'

Nona ziet het al voor zich. Rijen bussen met toeristen die de grot in gaan. Ze valt Brian om zijn hals. 'Wat spannend!'

'Ik wou dat ik nu mee kon,' zegt Nona. 'Dat stomme opruimen ook.'

'Je gaat toch gewoon,' zegt Jules. 'Dit is toch veel belangrijker. Als ze zeuren doe ik jouw werk wel.'

'Je bent een schat.' Nona geeft Jules een zoen en holt dan achter Brian aan.

Alsof er niks aan de hand is gaat Jules door met de glazen. Iedereen is zo druk dat ze niet eens merken dat Nona weg is.

De disco is al behoorlijk opgeruimd als de deur wordt opengegooid. Het is Ad. Wat heeft die een humeur, zeg. Met grote stappen loopt hij naar de bar, pakt iets en vertrekt. Met een klap smijt hij de deur weer dicht. Iedereen kijkt hem verbaasd na.

'Fijn, jongens, dat jullie het gisteravond zo goed hebben gedaan,' zegt Stef.

'Dat is toch belachelijk!' Kars wordt kwaad op zijn vader. 'Hij mag ons zeker wel eens bedanken.'

'Laat pa toch,' zegt Isa. 'Hij heeft een pestbui. Dat merkte ik net ook al.'

'Hoezo een pestbui? Het is een megasucces geweest en dan

durft meneer nog een pestbui te hebben? Dit pik ik niet.' Kars rent achter zijn vader aan. In zijn woede botst hij bijna tegen oma op. 'Waar is pa?'

'In zijn kantoor.'

Zonder nog iets te zeggen loopt Kars door.

'Zo,' zegt hij als hij zijn vaders kantoor in komt. Hij doet de deur dicht zodat niemand hen kan horen en gaat tegenover zijn vader aan het bureau zitten. 'Nou moet jij mij even vertellen waarom je je zo belachelijk gedraagt. Mijn vrienden hebben zich rot gewerkt voor jouw camping en er kan niet eens een bedankje af. Ik snap jou niet. Je moest zo nodig in Frankrijk een camping beginnen. We zijn hier allemaal om jou, hoor! Het was een superfeest en nou loop jij met een rotkop rond.'

Kars verwacht een tirade, maar zijn vader kijkt hem alleen aan.

'Sorry, je hebt groot gelijk.'

'Waarom doe je dan zo?' vraagt Kars. 'Je had ons moeten trakteren.'

'Dat was ik ook van plan,' zegt Ad. 'Maar...'

'Wat maar...?'

'Er is iets vervelends gebeurd.'

Kars ziet aan zijn vaders gezicht dat het ernst is.

'Je moet het toch weten.' En Ad staat op en loopt op en neer. 'De envelop met geld is gestolen.'

'Wat...?' Kars wordt bleek. 'Het geld van gisteravond?'

Ad knikt. 'Bijna al het geld. Van de kaarten, de drank, alles.'

Zijn vader slaat wanhopig met zijn vuist op het bureau.

'Heb je de politie gebeld?' vraagt Kars.

'Nee,' zegt Ad. 'Er is niet ingebroken. De deur is niet geforceerd. Iemand is met de sleutel binnengekomen.'

'Je bedoelt dat het iemand van ons is?'

Ad knikt. 'Het kan niet anders. Wij zijn de enigen die weten waar de sleutel hangt.'

Kars kan het niet geloven. 'Wie doet nou zoiets? Weet je het zeker?'

'Heel zeker,' zegt Ad. 'Gisteravond om een uur of twaalf ging oom Frits terug naar Nederland. Toen ik hem uitzwaaide lag het geld er nog. Ik heb het in een envelop gedaan en in de la gelegd. Het moet na twaalven gebeurd zijn. We hebben dus nog wel iets over van wat daarna is verkocht, maar het grootste gedeelte is gestolen.'

'Dan kan het nooit een van ons geweest zijn,' zegt Kars. 'Na twaalven waren wij allemaal op het feest. Mijn vrienden kunnen het niet hebben gedaan.'

'Ik verdenk ook niemand,' zegt Ad. 'En dat mag jij ook niet doen. Dit zoek ik uit. Denk je dat je je mond kunt houden?'

Kars knikt. 'Weet mama het?'

'Ja,' zegt Ad. 'En oma ook. Isa moet ik het nog vertellen. Ga maar terug naar je vrienden, anders krijgen ze argwaan.'

Kars draait zich om. Als hij buitenkomt ziet hij de disco liggen, CU, waar hij zo trots op was. Waar hij de hele avond deejay was, samen met Edgar. Hij had de hele nacht wel door kunnen draaien, zo fijn was het. Vooral toen ze Justin binnenbrachten in een doos. Het gezicht van Isa, die dacht dat Justin een dag later kwam en er dus niet bij kon zijn. Hij was er zo trots op, op alles. En nu heeft hij helemaal geen zin meer om naar binnen te gaan.

2

Isa ziet het meteen als Kars binnenkomt. 'O jee, mijn lieve broertje heeft nu knallende ruzie met pa.'

Zonder iets te zeggen pakt Kars de bezem en gaat vegen. 'Wat zijn we toch een superteam, hè?' zegt Romeo. 'Moet je kijken, je kunt bijna niet meer zien dat hier is gefeest.' Noem dat maar een superteam, denkt Kars. Iemand is hier mooi niet te vertrouwen. Het liefst zou hij de bezem neerknallen en het uitschreeuwen: Een van jullie heeft de envelop met geld gejat. Nou, vertel op, wie heeft dat geflikt... Maar hij verbijt zich en houdt zijn mond.

Als Romeo de muziek nog harder zet kan hij er niet meer tegen. 'Kan het niet wat zachter, ik heb koppijn.'

Isa kijkt naar haar broer. Jij hebt helemaal geen koppijn, denkt ze. Ze kent Kars. Er is iets anders en ze loopt naar hem toe. 'Wat heb je?'

Kars haalt zijn schouders op. 'Laat mij maar.'

'Er is echt iets, hè, je kunt het mij toch wel vertellen, ik ben je zus. Zijn er problemen met pa?'

'Dat wil jij niet weten.'

'Natuurlijk wil ik het wel weten.'

'Goed dan.' Kars neemt Isa mee naar buiten. Hij gooit het er meteen uit. 'Bijna al het geld van het feest is gejat. Iemand is vannacht met de sleutel het kantoortje in gegaan.'

'Wat...?' Isa schrikt net zo erg als Kars.

'Het moet iemand van ons zijn,' zegt Kars. 'De deur is niet geforceerd.'

'Is het echt zo dat iemand van ons het heeft gepikt?' vraagt Isa. 'Volgens pa wel,' zegt Kars. 'Niemand mag iets weten. Maar wij houden elkaar op de hoogte, goed? Als we iets verdachts zien, dan melden we het meteen.'

Isa knikt. Ze voelt zich ineens heel erg één met haar broer.

'Hè hè, daar zijn ze eindelijk,' zegt Edgar als Isa en Kars weer binnenkomen. 'Nu we bijna klaar zijn. Wat hebben jullie gedaan? Een terrasje gepikt of zo?'

'Je kunt wel zien wie hier de kinderen van de baas zijn,' zegt Romeo.

'Inderdaad, we komen inspecteren of jullie het netjes hebben opgeruimd. Wat is dat daar?' Isa wijst op een leeg zakje chips dat onder de bank ligt.

'Sorry, dat had ik niet gezien. Vergeef me.' Nona valt op haar knieën. 'Vergeef me alsjeblieft.'

'Je bent ontslagen!' schreeuwt Isa.

'Hè hè, het laatste glas,' zucht Jules.

'We houden ermee op,' zegt Stef. 'We hebben hard genoeg gewerkt voor dit bedrijf. Weten jullie al hoeveel er is omgezet?'

Kars en Isa kijken elkaar aan. 'Nog niet precies,' zegt Kars.

'Nou weet ik waarom jullie pa zo'n rotbui heeft,' zegt Romeo. 'Na dit succes wil hij een Porsche kopen, maar die hebben ze niet op voorraad.'

Isa ziet dat Kars zijn mond bijna niet kan houden en brengt het gesprek gauw op iets anders. 'We gaan op de site kijken.'

'Ja!' roepen ze. '*Sweet memory's.*'

'Wat is dat nou weer?' vraagt Justin.

'Een ideetje van Jules,' zegt Kars. 'We hebben een sweet-memorysite ontworpen waar iedereen iets op kan zetten. Heb je de computer in de kantine niet zien staan?'

'Hoe kan Justin die nou hebben gezien,' zegt Isa. 'Hij is hier nog maar net.'

Ze kijkt naar Jules die de andere kant op loopt.

'Ga jij niet mee?'

'Nee,' zegt Jules, 'ik moet met Frodo naar de dierenarts. Zijn spalk mag eraf.'

'Hoe ga je dan?' vraagt Nona.

'Ik rij met oma mee,' zegt Jules.

'Kom op, dan gaan wij naar de site.' Isa trekt Nona mee.

Nona was liever met Jules meegegaan, maar ze wil niet te klef doen.

14

Stef en Romeo staan al voor de computer. 'Moet je zien, wat een reacties.'

'Moet je deze horen.' Romeo leest voor: '"Mijn sweet memory gaat over dat hunkerig type achter de bar. Toen hij een drankje gaf, kreeg ik een vette knipoog. Wauw... Ik zweefde helemaal weg. Naomi."'

'Wat heb jij nou met Naomi?' vraagt Nona.

'Geen idee wie dat is,' zegt Romeo. 'Ik doe dat bij iedereen.'

'Nog een voor jou,' zegt Edgar. 'Heb je die gelezen? "Lieve Romeo, mag ik jouw Julia zijn?"'

'Het gaat wel weer allemaal over mij, hè, jongens,' zegt Romeo stralend.

'Wat een verbeelding!' Kars moet lachen. 'Dat meent hij echt, hoor.'

'Wat denk je,' zegt Romeo. 'Ik heb mijn naam niet voor niks bij mijn geboorte meegekregen. Dat kan geen toeval zijn. *It is all in the name.*'

'Ja, hoor, je was nog niet geboren of je knipoogde al naar de kraamhulp,' lacht Isa.

'Deze is pas erg,' zegt Nona. 'Echt die twee trutten weer.'

'Welke trutten?' vraagt Justin.

'Francoise en Desirée,' zegt Isa. 'Twee zussen. Ze zijn vreselijk. Ze hebben hun sweet memory opgeschreven.'

'Dat zal wel wat zijn.' Kars leest voor wat er staat: ' "Onze sweet memory is dat we een Franse jongen hebben versierd. Hij dacht dat we hem helemaal te gek vonden. Toen vroegen we of we zijn vrienden mochten zien. Hij stelde ons trots voor en toen hebben we een glas bier over zijn lieve hoofdje uitgegoten."'

'Lekkere types,' zegt Justin.

'Ja, het zijn schatjes.' Romeo laat zijn hand zien die nog steeds dik is. 'Ook een cadeautje van die lieve zusjes.'

'Het is maar goed dat ze weg zijn,' zegt Isa.

'Zijn ze weg?' Romeo en Stef kunnen het niet geloven.

'Vanochtend vroeg zijn ze vertrokken,' zegt Isa. 'Kom maar mee, dan kun je het zien.'

Ze gaan allemaal mee, alleen Edgar en Kars blijven achter.
'Ik ga ook een sweet memory op de site zetten,' zegt Edgar.
'Daar ben ik benieuwd naar,' zegt Kars. 'Wat zou nou jouw sweet memory zijn?'
Hij leest mee als Edgar het typt. 'Mijn sweet memory van het discofeest is het gezichtje van een heel lief meisje dat een verrassing had voor haar vriendin.'
'Wat schrijf jij nou op?' vraagt Kars.
'Gewoon leuk,' zegt Edgar. 'Het is toch een leuke meid?'
Kars is duidelijk uit zijn evenwicht. 'Wie bedoel je?'
'Annabel natuurlijk,' zegt Edgar.
'Edgar!' roept Brian. 'Tante Maya is er!'
'Mijn lievelingstante,' zegt Edgar. 'Ik moet haar even begroeten.'
Als Edgar wegloopt kijkt Kars naar de site. Hij maakt de sweet memory van Edgar zwart en drukt op delete.

'Denk je dat het gaat?' Oma stopt voor het huis van de dierenarts.
'Natuurlijk wel,' zegt Jules. 'Ik raak steeds meer gewend aan die krukken. Over een poosje wil ik ze niet meer kwijt.' Hij laat Frodo uit de auto.
'Ik vraag wel of mijn vader me terugbrengt.' Jules slaat het portier dicht en gaat de praktijk van de dierenarts binnen.
'Kijk nou eens,' zegt de assistent. 'Je hebt Frodo toch niet nagedaan?'
'Ik heb een ongelukje gehad.' Jules heeft geen zin om te vertellen dat hij onder een auto kwam toen hij vanwege problemen met zijn vader was weggelopen.
De dokter is al even verbaasd: 'Wat dacht jij, mijn hond een gespalkte poot, dan kan ik niet achterblijven?'
Jules lacht, maar wel als een boer met kiespijn. Hij is het intussen zat dat iedereen dezelfde grap maakt.
'Dat ziet er heel goed uit, hondje,' zegt de dokter. 'Jij mag weer lekker rondrennen.'

Jules ziet dat Frodo het fijn vindt dat hij van de spalk is bevrijd.
'Succes,' zegt de dierenarts.
Jules loopt naar buiten. Frodo rent al in de richting van het huis. Kwispelstaartend staat hij voor de deur. Jules kijkt door het raam naar binnen. Zijn vader zit aan tafel. Voor hem staat een fles whisky. Jules wil op het raam tikken. Hij moet aan vroeger denken toen zijn moeder nog leefde. Als hij toen thuiskwam tikte hij ook vaak op de ruit. Dan sprong zijn vader op en maakte de deur voor hem open. 'Daar heb je mijn allessie,' zei hij dan altijd. Als hij toen een gebroken been had gehad, had zijn vader heel goed voor hem gezorgd. En nu laat hij hem in een tent op een camping logeren.
Jules tikt tegen de ruit, maar zijn vader hoort hem niet eens. Hij haalt de sleutel uit zijn zak en doet de deur open. 'Pa!' roept hij. In de deuropening blijft hij staan. Zijn vader zet de fles aan de mond, hij schenkt de drank niet eens meer in een glas! Jules kan het niet langer aanzien, hij draait zich om en loopt het huis uit.

Brian staat in de grot voor de muurschildering. Telkens als hij die ziet wordt hij weer opgewonden. Nona was ook heel enthousiast. Brian vindt het nog steeds jammer dat Jules de tekening niet kan zien. Vooral omdat Jules de grot heeft ontdekt. Dat vindt hij nog steeds zo bijzonder. Wie bedenkt nou dat er achter die smalle spleet een ruimte zit? Niemand, alleen Jules. Hij heeft Jules precies verteld hoe de muurschildering eruitziet en Nona ook. Maar de muurschildering is zo indrukwekkend, dat kun je nooit vertellen.
Hij neemt 'm nog een keer goed in zich op, want hij gaat straks naar het archief. Hij kan met tante Maya meerijden. 'Ik ga toch naar de stad,' zei ze, 'dan zet ik jou wel even af.'
Hij heeft alleen maar verteld dat hij een muurschildering heeft gezien waar hij meer over te weten wil komen. Ook over de grot heeft hij niks gezegd, dat is hun geheim. Pas als het echt

iets bijzonders blijkt te zijn, krijgt iedereen het te horen. Maar anders houden ze de grot lekker voor zichzelf. Als eerst het gips maar van Jules' been is, dan gaan ze er weer vaker heen. Nu is hij zo'n beetje de enige die hier nog komt.

Brian werpt een laatste blik, dan draait hij zich om en loopt de grot uit.

'Brian!' hoort hij als hij de camping op komt. Tante Maya steekt haar arm door het autoraam.

'Ik, vind het toch zo grappig dat jij ook archeoloog wilt worden,' zegt tante Maya.

'Vroeger ging ik vaak met opa mee naar het archief en nu breng ik jou. Opa moest eens weten.' Terwijl ze de auto de weg op draait, kijkt ze naast zich. 'Hoe is het verder met je?'

'Goed,' zegt Brian.

'En met de meisjes?'

Brian aarzelt. Zal hij het tante Maya vertellen?

'Ik, eh… Ik ben nog nooit verliefd op een meisje geweest,' zegt hij. Hij hoopt dat tante Maya doorvraagt, dat hij haar kan vertellen waar hij soms bang voor is.

'Nou en,' zegt tante Maya. 'Je hebt nog een heel leven om verliefd te worden, jongen. Geniet maar van je vrijheid, je kunt nog lang genoeg verkering hebben.'

Ze drukt de cd-speler in. 'Zullen we een lekker muziekje opzetten?'

'Ja, leuk.' Brian zegt maar niks meer.

Isa ligt in haar tent, klaarwakker met haar kleren aan. Ze moet wachten tot haar ouders slapen en dan gaat ze naar de rivier. Sinds Justin in Timboektoe is, zijn ze nog geen vijf minuten met z'n tweetjes geweest. Steeds is er wel iemand bij. Daarom hebben ze vannacht bij de rivier afgesproken. Isa verheugt zich er al de hele dag op en Justin ook. Telkens als ze naar elkaar keken kwam er een geheimzinnig lachje om hun mond. Het viel de anderen ook op.

'Wat hebben jullie toch?' vroeg Nona.

18

Maar ze hebben het niet verteld, want niemand mag er iets van weten. Isa is veel te bang dat haar vriendinnen hen dan met een grap komen verrassen. Leuk, hoor, maar dan is het niet romantisch meer. Het is echt een geheimpje tussen hen tweetjes en dat maakt het extra spannend.

Het duurt alleen zo lang voor het zover is. Isa moet ervan zuchten. De meeste mensen op de camping slapen al, maar bij Ad en Hanna brandt nog steeds licht. Dat zijn ook zulke workaholics. Isa krijgt een sms'je van Justin: Ben je niet in slaap gevallen? Ze snapt wel dat Justin dat denkt. Zijn moeder slaapt natuurlijk allang. Die heeft ook geen vakantie, ze zit de hele dag met haar laptop in haar tent aan een onderzoek te werken. Fijn dat het kan, anders had Justin nooit de hele zomer kunnen blijven. Ze sms't terug dat haar ouders nog steeds wakker zijn.

Voor de zoveelste keer die nacht kruipt ze naar de ingang van haar tent. Ze gluurt over de camping naar het huis. Hup, pa en ma, denkt ze, ga nou maar eens slapen. Het is al één uur. Het lijkt wel of haar ouders het hebben gehoord. Nog geen seconde later springt het licht in het huis uit. Het liefst zou ze meteen vertrekken, maar het is beter dat ze wacht tot ze slapen. Ze kijkt op haar horloge, over een kwartier gaat ze. In haar gedachten ziet ze zich met Justin bij de rivier. Van opwinding begint haar hart sneller te kloppen. Weer kijkt ze op haar horloge. Er zijn pas twee minuten om. Als er tien minuten voorbij zijn houdt ze het echt niet meer uit en sms't ze Justin dat ze eraan komt.

Doe voorzichtig, sms't hij terug. Dat doet ze zeker. Ze wil niet dat haar vader alsnog wakker wordt, dan is alles verpest.

Isa sluipt de tent uit. Wat is het spannend buiten. Op haar tenen loopt ze over het pad. Als ze maar eerst langs het huis is. Ja, hoor, het is gelukt, haar ouders hebben niks gemerkt.

Het is een prachtige nacht. De hemel staat vol sterren. Overal om haar heen hoort ze krekels. Daar wordt ze altijd zo blij van. Een eindje verderop blijft ze staan. Waar komt dat gepiep vandaan? Maar ineens weet ze dat het vleermuizen zijn en ze loopt door.

Isa kijkt verrast als ze bij de rivier aankomt. Het stromende water weerkaatst het licht van de maan. Een romantischer plekje hadden ze niet kunnen kiezen. Ze gaat tegen een boom zitten. Nu zou Justin toch moeten komen, maar ze hoort nog niks. Een minuut later krijgt ze een sms'je: Shit, shit, shit, mijn moeder heeft me betrapt. Ik kan niet komen. Een andere keer? Even schrikt Isa, maar dan komt er een glimlach op haar gezicht. Leuk bedacht, schatje, maar daar trap ik niet in. Zeker net als toen ze naar Frankrijk ging verhuizen. Wat was ze teleurgesteld toen Justin 's middags al afscheid van haar nam. Maar wie stond er 's morgens om halfzes op de hoek haar uit te zwaaien? Justin. Hij heeft zich vast in de struiken verstopt. Isa luistert. Zie je wel, ze hoort geritsel. Wedden dat hij ineens voor haar staat? Het geritsel komt steeds dichterbij. Daar is-ie, denkt ze. En dan voelt ze een lik over haar wang, maar niet van Justin. Het is een hond.

'Loetje!' hoort ze het baasje zachtjes roepen. 'Loe, waar zit je?' Help! denkt Isa. Die man mag haar niet zien want dan weet morgen haar vader dat ze 's nachts naar de rivier is gegaan. Maar de hond blijft haar likken. Isa negeert hem en beweegt niet. Dat heeft ze van Jules geleerd, daar vinden honden niks aan en dan houden ze er vanzelf mee op.

'Loetje!' hoort ze weer en nu dichterbij. Weg jij, denkt Isa. Ze duwt de hond van zich af. Het werkt! Daar gaat-ie.

'Daar ben je eindelijk,' hoort ze zijn baasje zeggen.

Opgelucht haalt Isa adem. Nu kun je komen, denkt ze, maar de man is al een poosje weg als Justin er nog steeds niet is. En dan dringt het tot haar door dat het geen grap was. Justins moeder heeft hem echt betrapt!

Daar staat ze, midden in het donker in haar eentje. De rivier is ineens lang niet meer zo mooi en de krekelgeluiden kunnen haar ook gestolen worden. Met een baalgevoel loopt ze terug.

3

Hijgend komt Nona 's morgens de kantine in gehold. 'Ben ik nog op tijd?'

'Wel om af te wassen,' zegt Kars. 'We hebben alles net op.'

'Nietes, hij pest je, we moeten nog beginnen, hoor.' En Isa schuift een eindje op zodat Nona ertussen kan.

Aan de andere kant van Isa zit Justin. Hij schaamde zich dood toen hij haar vanochtend zag.

Isa begon er meteen over. 'Hoe kwam het nou dat je was betrapt?'

Hij durfde het eerst niet te vertellen, maar Isa moest het weten en toen zei hij eerlijk dat hij over de scheerlijn van zijn moeders tent was gestruikeld. Gelukkig hebben ze er samen om gelachen.

'Oma komt binnen met een schaal vol chocoladecroissants.

'Lekker!' roepen ze.

'Omdat het vandaag een beetje feest is,' zegt oma.

'Hoe laat komt de trailer?' vraagt Romeo slaperig.

'Om een uur of twee,' zegt Edgar.

'Dan pas!' roepen Romeo en Stef tegelijk. 'Zijn we daarvoor zo vroeg opgestaan?'

'Hij heeft vertraging,' zegt Edgar.

'Laat je toch niet in de maling nemen,' zegt oma. 'Waarom denk je dat Ad daar staat?'

'Ha, mam,' zegt Isa als Hanna binnenkomt. 'Kom je ook voor de kano's?'

'Nee, ik wou alleen even zeggen dat ik een stagiair op de kop heb getikt. Hij leert voor activiteitenbegeleider en blijft de hele zomer.'

'Dan wel begeleider met een lange ij,' zegt Edgar. 'Wie gaat er nou stage lopen in zijn vakantie?'

'Hij moet zijn stage nog inhalen,' zegt Hanna. 'Ik geloof dat hij ziek is geweest. In elk geval heeft hij er zin in. Dat bleek wel uit zijn telefoontje. Hij zit boordevol ideeën. Hij had het zelfs over raften.'

'Dat is pas gaaf!' roepen ze. 'Hoe heet hij?'

'Kylian,' zegt Hanna. 'Hij zit ergens in Frankrijk. Hij komt vanmiddag al.'

'Chic, dat klinkt wel professioneel. "Nee mevrouw,"' zegt Romeo met een bekakte stem. '"Daarvoor moet u bij onze activiteitenbegeleider zijn."'

'Het is echt nodig,' zegt Hanna. 'Er is veel te veel werk, dat kunnen we niet allemaal zelf. Alleen de speurtocht is al een heel karwei. Maar er moet veel meer gebeuren. We adverteren met Fun-Stations, dan moet je ook wel wat te bieden hebben. Talentenjachten, schminken, voetbaltoernooien. O, ik krijg een telefoontje.' En Hanna is alweer weg.

'Hoeveel kano's komen er eigenlijk?' vraagt Edgar.

'Tien,' zegt Kars.

Iedereen praat door elkaar, behalve Sharon, die staart stilletjes voor zich uit. Oma houdt haar de schaal voor.

Sharon schudt haar hoofd. 'Ik heb geen trek.'

'Wat is er toch met jou?' vraagt oma bezorgd. 'Gisteravond at je ook al niet?'

Sharon slaat haar ogen neer.

'Heb je buikpijn?' vraagt Isa.

Sharon haalt haar schouders op.

'Hoofdpijn dan?' vraagt Annabel.

Nu begint Sharon te huilen. 'Ik weet niet wat ik heb.'

Annabel legt haar hand op Sharons hoofd. 'Je hebt geen koorts.'

'Ik weet niet wat ik heb...' snikt Sharon. 'Ik vind niks leuk.'

'Dan weet ik het al,' zegt Nona. 'Je hebt heimwee. Dat heb ik ook wel eens gehad, dat is hartstikke rottig.'

'Is dat zo, Sharon?' vraagt oma.

'Misschien wel,' zegt Sharon.

'Je bent ook nog nooit zonder je ouders zo ver van huis ge-

weest, toch?' vraagt Annabel. 'Je mist je kleine zusje, hè?'
'Ook...' Sharon veegt haar tranen af.
'Je moet iets heel leuks gaan doen, dan vergeet je het, dat had ik ook. Ik weet al iets.' Nona fluistert het in Isa's oor.
'Gaaf!' Isa heeft ook gemerkt dat Sharon Brian leuk vindt. Maar die heeft geen oog voor haar, alleen maar voor zijn muurschildering. Die is ook heel spannend. Isa heeft haar ook gezien.
'We gaan iets heel spannends doen, we...' Isa wordt onderbroken door het getoeter van de trailer.
'De kano's!' Ze rennen naar buiten. De chauffeur wil de kano's naar de rivier rijden, maar de auto is veel te groot. Boven aan het weggetje moet hij hem stilzetten.
Ad helpt de chauffeur de kano's naar beneden te dragen. Kars en Edgar pakken de peddels aan en brengen ze naar het kantoortje.
Als de eerste kano in het water wordt gelegd beginnen ze hard te klappen. Terwijl Ad en de chauffeur heen en weer lopen, leggen de jongens de kano's aan de steiger vast. 'Zo,' zegt de chauffeur. 'Dit zijn ze.'
'Zes maar?' vraagt Kars. 'We zouden toch tien kano's krijgen?'
'Er is een vergissing gemaakt,' zegt Ad. 'Maar het is al geregeld. De rest komt vanmiddag.'
Het is een prachtig gezicht. Er komen allemaal kinderen aangerend.
'Ik ga vragen of ik er een mag huren!' roepen ze. 'Hoeveel kost het?'
'Ze zijn pas vanaf morgen te huur,' zegt Kars. 'Toch, pa?'
'Ja,' zegt Ad. 'Ik heb van jullie barbecueparty gehoord. Gaan jullie maar kijken of die plek aan de rivier geschikt is. Ik hoor het wel.'
'Jammer genoeg kunnen we niet allemaal mee,' zegt Kars.
'Gaan jullie maar,' zegt Isa. 'Nona, Sharon en ik hebben iets anders te doen.'

'Dan redden jullie het precies,' zegt Jules. 'Want ik kan natuurlijk niet mee.'

'Wil je nog een keer zeggen waar het precies is?' vraagt Kars.

'Let op,' zegt Jules. 'Die inkeping in de rots, die ken je wel, toch? Als je daar bent, vaar je nog een heel eind door. Tot je een heel grote boom uit de rots ziet steken. Het kan niet missen. En schuin tegenover die boom is het plateau. Je ziet het vanzelf.'

'See you!' roepen ze en ze zitten al in een kano. Romeo en Stef doen veel te wild. Ze hebben nog geen meter gevaren of hun kano slaat al om.

'Niet zo snel!' roept Kars tegen Annabel. 'Ik heb nog nooit in zo'n ding gezeten.'

Annabel is de enige die het goed kan. Het lukt Justin ook al niet. Maar als ze een tijdje hebben geoefend gaat het beter.

'Ik kom nooit tegen die stroom op!' roept Kars.

'Niks aan!' roept Romeo en… daar ligt hij weer in het water.

Eindelijk komen ze langs de gespleten rots.

'Doorpeddelen, boys!' roept Annabel die een heel eind voor ligt. 'Ik geloof dat ik de boom al zie!'

'Wat een eind!' Kars is blij dat ze er zijn.

Ze stappen uit hun kano en beginnen te klimmen.

'Dit is toch veel te hoog!' zegt Stef als ze eindelijk op het plateau staan.

'Dat krijg ik er nooit door bij mijn pa,' zegt Kars. 'Dat vindt hij echt veel te gevaarlijk.'

'Het wordt toch geen bejaardenparty,' zegt Edgar.

'Kijk eens naar die scherpe punt.' Annabel wijst omlaag. 'Niet echt lekker als je daarop valt.'

'Dus het is niks,' zegt Romeo.

'Helaas niet.' Kars klimt naar beneden.

'Kunnen we er niks op verzinnen?' vraagt Stef.

'Wat wil je nou? De rots met watten beplakken? Dit gaat gewoon niet.'

En Kars springt in zijn kano. 'We gaan met de stroom mee!'
roept hij blij.
En hij vaart weg.

'Moeten we daar echt doorheen?' Sharon wijst vol afschuw
naar de braamstruiken.
'Ja,' zegt Nona. 'Anders kom je er niet.'
'Dan moet het wel iets heel bijzonders zijn.' Sharon blijft
staan. 'Kunnen jullie niks beters bedenken?'
'Waar ben je nou bang voor?' Isa trekt haar mee. 'Voor een
paar schrammetjes op je benen? Je wil toch van je heimwee af,
of niet soms?'
'Jawel, maar ik wil eerst weten waar we heen gaan.'
'Naar onze grot,' zegt Nona.
'Het is een hele eer hoor, dat je mee mag, niemand weet hier-
van, alleen Jules en Brian, Nona en ik. Het is onze geheime
plek. En binnenkort weet Justin het ook. Ik wil hem meenemen, als jullie het goed vinden natuurlijk. Het lijkt me zo
spannend er met z'n tweetjes te zijn.'
'Van mij mag het wel,' zegt Nona. 'Als hij zijn mond maar
houdt.'
'Maar wat moet ik in die grot? Au!' Sharon wrijft over haar
been.
'Dat is een verrassing,' zegt Isa. 'Als jij daar een tijdje binnen
bent, heb je geen heimwee meer.'
'Nee,' lacht Nona. 'Daar heb je dan geen tijd meer voor. Dan
ga je iets heel spannends doen.'
'Nou ja,' zegt Sharon. 'Voorlopig vind ik dit al spannend genoeg. Au, weer zo'n rotstruik.'
'Hier is de ingang,' zegt Nona als ze bij de rots zijn.
'Ik zie helemaal geen grot,' zegt Sharon.
'Dat is juist het spannende,' zegt Nona. 'Je moet eerst door die
opening.'
'Moet ik door die enge spleet?' Sharon griezelt. 'Is het daar
niet pikdonker?'

Nona haalt haar zaklamp te voorschijn. 'Je moet er wat voor over hebben om van je heimwee af te komen.'

'Lekker,' zegt Sharon. 'Zeker verslonden worden door een eng beest. Logisch dat ik dan van mijn heimwee af ben, dan ben ik overal van af.'

'Wees nou niet zo schijterig.' Nona gaat op haar buik liggen en kruipt naar binnen.

'Moet het echt?' Sharon probeert eronderuit te komen.

'Vlug!' zegt Isa. 'Je kunt hier niet eeuwig blijven staan. Zo meteen ziet iemand je en dan is ons geheim verraden.'

Sharon wringt zich zuchtend naar binnen. 'Gadver!' roept ze, als ze in de grot is. 'Het is hier nat. En wat is het koud!'

'Kom maar.' Nona pakt haar hand. 'Je moet bukken, anders stoot je je hoofd.'

Na een paar stappen blijft Sharon staan. 'Ik vind het hartstikke eng.'

'Maar straks niet meer,' zegt Isa. 'Dan stellen we je voor aan je prins.'

'Alsof een prins in zo'n enge klamme grot gaat zitten,' moppert Sharon. 'Help!' Ze schrikt op van een paar vleermuizen die wegvliegen. 'Ik ga terug, jullie kunnen me nog meer vertellen.'

'Veel plezier dan.' Nona loopt door.

'Nee, jullie moeten meegaan,' zegt Sharon.

'Dat kan niet,' zegt Isa. 'We moeten tegen jouw prins zeggen dat je niet komt.Dat je het niet voor hem over hebt.'

Sharon draait om haar as. Overal is het donker. Ze heeft geen keus en moet wel bij haar vriendinnen blijven.

'Het is helemaal niet eng.' Isa pakt haar hand. 'Jules heeft hier een paar keer geslapen.'

'In deze grot?' roept Sharon verschrikt uit.

'Hij moest wel,' zegt Nona. 'Zijn vader deed in een dronken bui soms de deur op de knip en dan kon Jules er niet in. Dan ging hij hierheen. Toen hield hij het nog voor iedereen verborgen dat z'n vader dronk, maar nu hoeft hij hier gelukkig niet meer te slapen.'

'Wat zielig,' zegt Sharon.

'Jules heeft het overleefd in de grot,' zegt Nona, 'dus je hoeft niet bang te zijn.'

'Ik zie licht!' Sharon blijft stokstijf staan.

'Dat is de lamp van je prins...' fluistert Nona.

'Hallo!' horen ze Brians stem. 'Wie is daar?' Hij schijnt met zijn zaklamp.

'Wij!' roept Nona. 'Sharon wil je muurschildering zien.'

'Deze kant op, je moet even klimmen.' Brian merkt wel dat Sharon het eng vindt. Hij gaat hun voor naar de tweede grot.

Sharon kijkt verbaasd naar Brian. Hij loopt door de grot alsof het zijn huis is. Het is dat ze zich zo naar voelt, anders zou ze het best leuk vinden.

Voor de tweede grot moeten ze zich weer door een opening wringen.

'Daar is-ie!' Brian wijst op een vage bruinrood gekleurde tekening die in de muur is gekerfd.

'Die man met die speer vind ik mooi,' zegt Nona.

'Kijk eens naar dat rennende hert.' Brian wijst het aan.

'Wanneer ga je naar het archief?' vraagt Isa.

'Daar ben ik al geweest,' zegt Brian. 'Maar het is veel te moeilijk. Er zijn wel tweehonderd van dit soort muurschilderingen. In elke periode zijn ze weer anders, daarom teken ik deze na, dan kan ik beter vergelijken. Tenminste, ik doe een poging om haar na te tekenen. Vinden jullie dat het lijkt?'

Isa en Nona moeten lachen. 'Sorry, hoor, moet dit projectiel een hert voorstellen? Het lijkt wel een fiets, en die had je nog niet in de prehistorie. Waarom neem je er geen foto van?'

'Dat wil ik niet,' zegt Brian. 'Ik ben bang dat het flitslicht schadelijk is. Ik teken alles liever na.'

'Dan heb je geluk dat wij langskomen, want Sharon kan heel mooi tekenen.'

'Is dat zo?' vraagt Brian.

'Nou, heel goed?' zegt Sharon.

'Sharon is altijd zo bescheiden,' zegt Isa. 'Net als jij, Brian.'

Daarom passen jullie ook bij elkaar. Nona en Isa denken het alletwee.

'Ik wil het wel proberen,' zegt Sharon. 'Geef maar papier.'

'Fantastisch!' Brian is dolgelukkig. Hoe beter de tekening, hoe meer kans hij heeft iets over de muurschildering te weten te komen.

'O jee!' Isa doet net of ze schrikt. 'Ik vergeet helemaal dat ik oma zou helpen. Dat heb jij toch ook beloofd, Nona?'

'Dat is zo, we zouden...' Er schiet Nona zo gauw niks te binnen.

'Een paar boodschappen voor haar doen in het dorp,' zegt Isa. 'We komen zo terug, kijken hoe het geworden is.'

En Isa en Nona verdwijnen in het donker.

Buiten proesten ze het uit. 'Dat is gelukt, die twee krijgen zo heus wel wat samen. Die tekening komt nooit af. Haha, die Sharon...'

'Ik wou dat ik het kon zien,' zegt Isa. 'Hadden we maar een cameraatje neergezet.'

'Of een cassetterecordertje,' zegt Nona. 'Ik weet al wat je zou horen als je het afdraaide.' En ze beginnen te giechelen.

Brian is niet gek, hij heeft heus wel door dat het een smoes is en dat ze Sharon aan hem willen koppelen. Hij voelt zich behoorlijk opgelaten omdat hij niet verliefd op haar is. En hij is ook niet van plan te doen alsof, daarvoor vindt hij haar veel te aardig. Hij dacht dat hij op het feest duidelijk genoeg was geweest door de hele avond uit haar buurt te blijven, maar niet dus. Hij denkt aan Edgar, die zou het wel weten als hij hier alleen met zo'n mooi meisje was. Was hij maar zo.

Ja, hoor, we zijn er weer, zegt hij tegen zichzelf. Hou nou maar weer op. Hij weet dat hij hierdoor onrustig wordt. Als hij 's nachts niet kan slapen ligt hij ook maar te piekeren. De laatste tijd gebeurt dat steeds vaker. Vooral nu zijn vrienden het altijd over meiden hebben. Daarom is hij ook zo blij met de muurschildering, dan vergeet hij het tenminste.

Sharon let niet op Brian. Ze heeft alleen oog voor de afbeelding op de muur. Ze heeft wel eens iets moeten natekenen wat veel moeilijker was, maar toch lukt het haar niet. Telkens moet ze opnieuw beginnen. Ze heeft al drie blaadjes verknoeid.

'Als het niet gaat, hoeft het niet, hoor,' zegt Brian. 'Dat Nona dat nou voor je heeft bedacht. Straks zit je hier uren een beetje te tekenen en je kent me nog niet eens.'

'Ik wil het heus wel voor je doen,' zegt Sharon. 'Ik weet ook niet waarom ik het steeds verpruts.'

Nou, ik wel, denkt Brian. Omdat hier een sukkel tegenover je zit die er niks mee kan dat je verliefd op hem bent. 'Misschien heb je je dag niet,' zegt hij. 'Helemaal niet erg, hoor.'

Sharon kijkt naar de stapel blaadjes. Als ze zo doorgaat is ze zo door het papier heen. Ze probeert het opnieuw, maar het lijkt nergens op.

'Laat toch,' zegt Brian. 'Misschien wil je wel liever met je vriendinnen mee.'

'Nee, dat is het niet. Ik... ik voel me gewoon rot.' En Sharon begint te huilen.

Brian schrikt. Zie je wel. Waarom doe je dan ook zo? Je kunt haar toch eerlijk vertellen dat je niet verliefd op haar bent. 'Het komt door mij, hè?' Zo, dat is een beginnetje. Nou moet hij het haar wel zeggen.

Sharon schudt haar hoofd. 'Ik heb heimwee. Ik vind het zelf ook kinderachtig, maar ik kan er niks aan doen.'

Brian is opgelucht. 'Heimwee is helemaal niet kinderachtig. In mijn klas zit een heel stoere jongen. Hij durft zowat alles. Iedereen kijkt tegen hem op, maar hij kan geen nacht van huis. En dat zegt hij gewoon eerlijk. Dat moet jij ook doen. Als je heimwee hebt, moet je lekker naar huis gaan. Dag Timboektoe, denk je dan. Heel fijn, maar ik ga liever weg.'

Sharon zucht. 'Kon dat maar. Maar Annabels ouders komen ons pas over een maand halen. En ik mag van mijn moeder nooit dat hele eind alleen met de trein.'

'Mijn tante gaat vanavond terug naar Nederland,' zegt Brian.
'Tante Maya?' vraagt Sharon. 'Ze is er net.'
'Ze is op doorreis,' zegt Brian. 'Misschien mag je wel meerijden.'
Sharon knapt meteen op. 'Denk je dat ze dat goed vindt?'
'Vast wel, vanochtend zei ze nog dat ze het zo saai vond het hele eind in haar eentje te rijden. Tante Maya is echt super, je vindt het vast leuk met haar. Kom op, we gaan het meteen vragen. Maar, eh... niks over de grot vertellen, hè? Want dan weten mijn moeder en Edgar het ook meteen.'
'Ik hou mijn mond,' zegt Sharon.
Brian is allang blij dat hij iets aardigs voor Sharon kan doen. En het werkt ook nog, want voor het eerst sinds dagen komt er weer een lach op haar gezicht.

Isa en Nona staan nog steeds buiten de grot te wachten. 'Zal ik stiekem even kijken?' zegt Nona.
'Ja, als je heel zachtjes doet horen ze je niet.'
Nona kruipt de grot in, maar nog geen vijf minuten later staat ze alweer buiten. 'Ze komen eraan, vlug!'
Isa en Nona verstoppen zich achter een paar struiken. Als Brian en Sharon de grot uit komen, knijpen ze in elkaars hand.
'Ze lacht,' fluistert Nona. 'Die heeft geen heimwee meer.'
'Wat zouden ze nu gaan doen?' vraagt Isa.
'Niet naar het archief,' grinnikt Nona. 'Zie jij een tekening? Ik niet.'
'Kom mee.' Ze sluipen achter Sharon en Brian aan.
'Nou zit ze niet met die braamstruiken,' zegt Isa zachtjes.
'Moet je nou zien,' zegt Nona als ze bij de camping zijn. 'Brian neemt haar mee naar zijn tent.'
Een eindje voor Brians staanplaats verstoppen ze zich achter een boom.
'Hij stelt zijn meisje voor,' fluistert Isa.
'Zijn hele familie mag het weten, tante Maya ook, kijk maar. Hij heeft zijn grote liefde gevonden in de grot, mooier kon niet.'

'Wauw…! Zoals ze daar staan met z'n tweetjes. Het is helemaal aan. Daar komt de bruid,' zingt Nona zachtjes. 'We gaan, ze komt zo heus wel naar de kantine om ons alles te vertellen.'

Nona heeft gelijk. Ze zijn nog niet binnen of Sharon stapt met een stralend gezicht de kantine in.

'Ik moet jullie iets vertellen.'

'Dat dachten we al. Hoe vind je Brian?'

'Heel aardig,' zegt Sharon. 'Hij heeft iets heel goeds voor mij bedacht.'

'Aha…' lacht Isa. 'En daardoor is jouw heimwee zeker over.'

'Helemaal.'

'Dan was het die barre tocht door de grot dus wel waard,' zegt Nona.

'Hartstikke,' zegt Sharon. 'Anders had ik het nooit geweten.'

'Haha, wat had je nooit geweten? Hoe lekker Brian zoent?'

'Nee,' zegt Sharon. 'Dat zijn tante vanavond teruggaat naar Nederland. Ik mag met haar meerijden.'

'Wat zeg je nou?' Isa en Nona zijn stomverbaasd.

'Ik ga naar huis,' zegt Sharon.

'Daar moet ik even van bijkomen, hoor.' Isa loopt de kantine uit. Buiten botst ze bijna tegen Kars op. 'Sharon gaat vanavond naar huis.'

'Naar huis?' vraagt Kars.

'Ja, ze heeft heimwee.'

'Hoezo heimwee?' vraagt Kars.

'Weet ik het, vraag het haar zelf.' Isa wil doorlopen.

'Dus ze smeert hem,' zegt Kars.

'Ze zat vanochtend ineens te huilen,' zegt Isa.

'Ik zou ook moeten janken als ik met honderden euro's in mijn zak ervandoor ging.'

'Hoe bedoel je?' Maar ineens begrijpt Isa het. 'Jij denkt dat Sharon…?'

'Iemand moet het toch gedaan hebben,' zegt Kars. 'En als zij 'm nou ineens smeert? Heimwee, een goeie smoes. Zo wil ik ook wel heimwee hebben. Ze is toch nog niet weg?'

'Nee,' zegt Isa. 'Ze gaat vanavond.'

'Mooi zo,' zegt Kars. 'Dan halen we eerst die honderden euro's even terug.'

4

Isa is er stil van. Zou Kars gelijk hebben? Dat kan toch niet,
zoiets zou Sharon toch nooit doen. Maar wie dan wel? Er is
niet ingebroken, dus een van hen moet het wel gedaan hebben.
En misschien is het ook wel verdacht dat Sharon ineens naar
huis wil.
'Raar, hè?' zegt Kars. 'Ik zou het ook gek vinden als een van
mijn vrienden hier de tent had beroofd.'
Dit gaat Isa te ver. 'Wat ben je toch een eikel, je doet net of al
is bewezen dat Sharon het geld heeft gepikt.'
'Isa!' Sharon en Annabel komen aangehold. Isa krijgt een raar
gevoel. Sharon moest eens weten wat Kars denkt.
Ze merkt dat Annabel meteen verlegen wordt als ze Kars ziet.
'Wij, eh... We gaan even naar het dorp.'
'Ik wil een cadeautje kopen voor tante Maya,' zegt Sharon.
'Het is zo lief dat ik mag meerijden.'
'En je hebt toch geld genoeg,' zegt Kars cynisch.
Isa geeft hem ongemerkt een trap tegen zijn schenen.
'Was dat maar waar,' zegt Sharon. 'Ik red het net.'
'Weet je hoeveel ze maar mee heeft?' zegt Annabel. 'Vijfen-
twintig euro, voor de hele vakantie.'
'En dat met zo'n rijke pa,' zegt Isa.
Sharon knikt. 'Die is niet zo scheutig.'
Kars kijkt Isa aan.
'Ik ga niet mee.' Isa zou wel zin hebben, maar ze vindt het ach-
terbaks om nu gezellig met Sharon te winkelen en net te doen
of er niks aan de hand is.
'Je kunt zeker weer niet zonder Justin,' zucht Annabel. 'Je gaat
niet de hele tijd plakken, hoor, als Sharon weg is. Dan kan ik
hier zeker in mijn eentje zitten.'
'Nou, dat hoeft niet, hoor, volgens mij wil Edgar je wel op-
vangen.'

Isa zegt het expres om Kars te pesten. En het werkt wel, want hij krijgt een kleur.

Annabel weet niet goed wat ze moet zeggen. 'We moeten opschieten, ik wil terug zijn voor we gaan kanoën.' En met een rood hoofd loopt ze weg.

'Nou, dan ga ik maar eens op inspectie,' zegt Kars.

'Hoe bedoel je?' vraagt Isa.

'Wat denk je,' zegt Kars. 'Ik moet die tent uitkammen.'

Isa vindt het een rotidee dat Kars in Sharons spullen gaat snuffelen. 'Dat kun je echt niet maken.'

'Mij best,' zegt Kars. 'Dan laten we het aan de politie over. Sorry, hoor, het gaat hier wel om roof. Ze heeft een motief, dat heb je net zelf gehoord. Rijke pa gunt zijn dochter geen cent. Waar ben je te vinden als ik je het geld wil laten zien?'

'Jij vindt helemaal niks,' zegt Isa. 'Maar ik zit in de kantine.'

'Kijk eens.' Een paar jongetjes zetten trots een emmer voor Isa neer. 'Wat een kanjer,' zegt Isa. 'Jullie eten vanavond zeker forel.'

Ze houden Kars ook de emmer voor, maar die is niet in de stemming om naar een vis te kijken. 'Prachtig,' zegt hij. 'Breng 'm maar gauw naar huis.'

Hij wacht tot Annabel en Sharon de camping hebben verlaten en loopt dan naar het rode tentje van Annabel en Sharon. Hij heeft wel een raar gevoel als hij de rits opentrekt. Vooral omdat het ook de tent van Annabel is. Niet aan denken, het gaat er nou om dat hij het geld terugvindt. Hij heeft geluk, Sharon heeft haar rugtas al ingepakt. Hij hoeft 'm alleen maar open te doen. Hij kijkt naar het slaapvertrek. Er ligt een luchtbed met een T-shirt erop. Dat moet van Annabel zijn. Kars voelt zich net een gluurder, een vies oud mannetje. Niet kijken, je bent hier om het geld te vinden, en hij wendt zijn ogen af. Hij voelt in de zijvakken, maar daar zit geen envelop met geld in. Misschien in haar toilettas. Kars heeft 'm net open als hij voetstappen hoort. 'Shit!' Hij hoort de stem van Annabel. Vlug ritst hij de tas dicht. Paniekerig kijkt hij om zich heen.

Hij kan zich alleen in het slaapvertrek verstoppen.

'Nog goed dat je nu bedenkt dat je je pasje bent vergeten,' hoort hij Annabel zeggen. 'Anders hadden we het hele eind terug moeten lopen.'

Sharon kruipt de tent in. Als ze haar pasje maar niet onder het luchtbed heeft verstopt. Kars durft amper te ademen. Hij hoort haar in haar rugtas rommelen. 'Ik heb het,' klinkt het uit de voortent.

Kars is minstens even blij als Sharon. Pas als ze weg zijn durft hij te voorschijn te komen. Hij doorzoekt Sharons hele tas, kijkt zelfs tussen haar vuile was, maar nergens vindt hij het geld. Hij haalt een boek uit haar rugtas. Misschien zit hier iets in en hij schudt het, maar er valt geen envelop met geld uit. Kars wil het terugstoppen als hij ziet dat het een dagboek is. Er gaat een schok door hem heen. Misschien heeft ze er wel over geschreven. Dat zou heel goed kunnen, waarom heeft ze het anders zo goed weggestopt? Het zat helemaal onder in haar tas. Kars kijkt naar het dagboek. Kan dit wel? Nee, natuurlijk kan dit niet. Je gaat toch niet in iemands dagboek lezen? Zelf wordt hij al pissig als Isa alleen maar op zijn kamer is geweest. Maar hij moet weten of ze het gedaan heeft. En aan haar dagboek heeft ze het heus wel verteld. Wat een rotklus. Hij wil nooit rechercheur worden. Hij wil het dagboek weer wegstoppen. Nee, dit moet worden opgelost, denkt hij terwijl hij het weer openslaat. Kars bladert het snel door. Hij wil alleen de laatste bladzijden lezen.

'Lief dagboek,' staat er. 'Gisteravond was het feest. Wat een moeilijke avond was dat. Iedereen was zo vrolijk en ik had alleen maar heimwee. Ik ben zo bang dat ik het niet langer kan verbergen. Mijn maag krampte de hele nacht en ineens moest ik spugen. Annabel dacht dat ik te veel had gedronken...'

'Lief dagboek,
Vanochtend weer niks gegeten. Hoe lang kan ik dit nog verbergen. Ik heb het aan het ontbijt verteld. Het moest wel, ik
begon te huilen...'

Kars' ogen glijden over de regels. En dan ziet hij het staan.

'Lief dagboek,
Wat een geluk, ik mag met Brians tante meerijden. Morgen
ben ik thuis! Maar wel blut, want ik moet nog een cadeautje voor tante Maya kopen...'

Kars zit verslagen met het dagboek in zijn hand. Ze heeft het
niet gedaan, daar is hij nu van overtuigd. Ze heeft echt heimwee. Wat een stomme actie van hem, hij schaamt zich en stopt
het dagboek gauw terug. Hij controleert of hij alles achterlaat
zoals hij het heeft aangetroffen en dan maakt hij de rugtas
dicht. Nog één keer kijkt hij naar het T-shirt op het luchtbed.
Wat moet je nou, denkt hij. Ze is veel te jong voor je. Loop
door.

'En?' Isa komt meteen naar haar broer toe.
'Ze heeft het niet gedaan.'
'Je bedoelt dat je het geld niet hebt gevonden,' zegt Isa.
'Ik zei dat ze het niet heeft gedaan, je verstaat me toch wel.'
Kars klinkt geïrriteerd.
'Hoe weet je dat zo zeker?' Isa schrikt. 'Je hebt haar toch niet
ondervraagd?'
'Natuurlijk wel,' zegt Kars. 'Hoe moest ik er anders achter ko-
men?'
'Nou ja!' roept Isa. 'Ik schaam me dood. Wat heb je gedaan?'
'Niks bijzonders, haar vastgebonden aan een boom en een
lamp op haar gezicht gezet. En d'r verhoord. Ze bleef ontken-
nen. Zelfs toen ik dreigde haar te zoenen, dat is natuurlijk wel
het engste wat je kunt bedenken.'

36

'Leukerd,' zegt Isa.

'Wees nou maar blij,' zegt Kars. 'Je vriendin gaat vrijuit.'

'Ja hoor, ik zal je trakteren, nou goed? Jij fokt hier de boel op. Ik wil er niks meer mee te maken hebben. Je gaat nu je eigen vrienden maar beschuldigen.'

'Sstt...' De deur van de kantine gaat open. Justin komt binnen met een jongen.

'Dit is Axel, hij is net aangekomen.'

'Welkom,' zegt Kars. 'Wil je iets drinken? Een cappuccino of zo?'

'Hebben jullie niks sterkers?' vraagt Axel. 'Bacardi Breezer bijvoorbeeld?'

'Het is nog vroeg, hoor,' zegt Kars.

'Voor een Breezer is het nooit te vroeg.' Axel steekt een sigaret op.

'Hoe zit het?' vraagt hij aan Justin. 'Zijn er hier nog meer van die kippies?'

Hij kijkt Isa aan.

'Als je mij bedoelt,' zegt Isa.

'Niet meteen boos worden,' zegt Axel.

'Isa is mijn vriendin,' zegt Justin.

'Goeie smaak,' lacht Axel. 'Ik heb ook iets met drie chickies tegelijk, al twee maanden en ze hebben niks in de gaten. Wel een organisatie, hoor. Ik ben blij dat ik een tijdje op vakantie ben. En het is wel een dure hobby, je moet met alledrie sms'en en bellen.'

Wat een macho, Isa heeft er echt geen zin in. 'Ik moet nog iets doen.'

Ze weet zeker dat Justin het ook een *loser* vindt.

'Wat een erg joch is dat, hè,' zegt ze als Justin even later naar haar toe komt.

'Dat lijkt maar zo,' zegt Justin. 'Volgens mij is hij wel oké.'

'Oké?' roept Isa verontwaardigd. 'Iemand die drie meiden bedondert noem jij oké?' Ze kijkt naar Justin. Wat ben je toch lief, denkt ze. Ineens beseft ze hoe erg ze hem heeft gemist.

'Ach, wat kan mij die Axel schelen. Ik ben zo blij dat je er bent.' En ze slaat twee armen om hem heen. 'Ik heb je zo gemist,' fluistert ze en dan kussen ze. Het is een heel lange kus.

'Ik heb jou ook gemist...' Justin kust haar in haar nek.

Isa schrikt er een beetje van. Dat heeft hij nog nooit gedaan. Ze hebben eigenlijk alleen nog maar gezoend. Alleen in haar dromen strelen ze elkaar.

Ze wachten met z'n allen bij de rivier. De andere kano's kunnen elk moment worden afgeleverd.

'Daar heb je ma,' zegt Kars. 'Wie heeft ze nou bij zich?'

Naast Hanna loopt een jongen van een jaar of achttien.

'Mag ik jullie even voorstellen,' zegt ze. 'Dit is Kylian. Hij gaat ons helpen met de activiteiten. Jullie kunnen je plan aan hem voorleggen.'

'Hoi!' zegt Kylian. 'Ik hoorde iets over een barbecueparty bij de rivier.'

'Ja,' zegt Kars. 'We hadden een plateau in de rots op het oog, maar dat ligt veel te hoog.'

'Wat vinden jullie van een eiland?'

'Een eiland? Gaaf natuurlijk!'

'Ik weet er een,' zegt Kylian. 'Het zou een heel goeie plek zijn. Ik laat het jullie wel zien, maar ik geloof dat ik nu mee moet.'

Hanna knikt. 'Straks heb ik een interview met een vakantieblad. Ik wil het nog even met je over andere activiteiten hebben.'

'Toffe gast,' zeggen ze als Kylian weg is.

'De kano's zijn er,' roept Ad.

'Super!' zegt Romeo. 'Dan gaan we vanmiddag met z'n allen de rivier op en dan ga ik jullie filmen.'

'Zeker met dat overjarige polaroidcameraatje van jou,' zegt Stef.

'Nee,' zegt Romeo. 'Vanmiddag sta ik hier met een gloednieuwe Canon.'

38

'En dat moeten wij geloven?'

'Wedden?' zegt Romeo. 'Ik ga 'm nu kopen.'

'Daar moet ik bij zijn.' Stef gaat met Romeo mee.

Isa kijkt Romeo geschrokken na. Ze vraagt zich af hoe hij ineens aan zo veel geld komt.

'Dat wordt feest vanmiddag.' Edgar wrijft in zijn handen. Maar dan kijkt hij naar Jules. 'Jij hebt wel pech, hè, met die gipspoot.'

'Het geeft niet,' zegt Jules. 'Dan kan ik vanmiddag de speurtocht uitdenken. Ik woon hier, dus ik ken de hele omgeving.'

'Wat leuk,' zegt Annabel. 'Zullen we alvast beginnen, dan bedenk ik de opdrachten.'

'Dan wil ik ook helpen.' Het is duidelijk dat Edgar het alleen maar voor Annabel doet. Kars wil er gauw achteraan gaan, maar Isa neemt haar broer apart.

'Hoe komt Romeo ineens aan zo veel geld?'

Kars lacht haar uit. 'Dacht je soms echt dat Romeo een camera koopt? Dat is een grap van hem. Die komt straks terug met een speelgoedcameraatje.'

'Ik dacht...'

Kars valt Isa in de rede. 'Jij dacht dat Romeo het geld heeft gestolen. Denk nou even na. Je hebt het over Romeo, hoor! Als-ie echt met een gloednieuwe Canon aankomt, mag je van mij de politie bellen.'

'Kars!' roept Jules. 'Jij hebt de plattegrond.'

'Ik kom eraan!' Kars kijkt naar Edgar die naast Annabel loopt.

Een paar kinderen komen langscrossen op hun mountainbikes. Eén botst bijna tegen Kars op.

'Kun je niet uitkijken!' valt Kars uit.

Isa weet wel waarom hij ineens zo chagrijnig is.

'Volgens mij vindt Edgar Annabel leuk,' doet ze er expres een schepje bovenop. 'Wie weet krijgen ze nog verkering.'

'Doe niet zo idioot,' snauwt Kars. 'Die twee passen helemaal niet bij elkaar.'

Isa moet vanbinnen lachen. Het komt er wel erg fanatiek uit, broertje, denkt ze.

Ze staan al een tijdje bij de rivier als Romeo en Stef er nog steeds niet zijn.

'Het schijnt niet gemakkelijk te zijn om een speelgoedcameraatje te vinden,' zegt Kars, 'anders waren ze al terug. Aha, ik geloof dat ik een sms'je krijg. Ja, hoor, ze zijn iets later, of we willen wachten.'

'Doen we dat?' vraagt Kars.

Iedereen vindt dat het moet. 'Ze zijn speciaal naar de stad gegaan voor die grap, man, het zou flauw zijn om vast te beginnen. Laat hem nou maar zijn act opvoeren.'

'Dan ga ik terug,' zegt Ad. 'Ik hoor het wel als het zover is.'

'Als ze er toch nog niet zijn ga ik even zwemmen.' Justin gooit zijn T-shirt uit, rent in zijn zwembroek over de steiger en duikt het water in. Isa vraagt zich af waar hij is en ziet dan twee benen boven het water uitsteken.

'Wie is die jongen?' Nona wijst naar de steiger.

'Axel, hij is net aangekomen.' Isa kijkt naar Axel die met een sigaret in zijn mond nonchalant tegen een paal aan hangt.

'Als je ook een kano wilt?' vraagt Kars.

'Dank je, ik heb iets veel beters te doen.' Axel kijkt in het water. 'Ah, daar is mijn vriend.' En hij wenkt Justin dat hij uit het water moet komen. 'Jullie staan hier nou wel zo braaf, maar er is net iets heel moois aangekomen. Met lang blond haar en eh... Alles topkwaliteit zal ik maar zeggen. Ik zou hier maar afnokken, anders zitten jullie ernaast. Ja, ik zeg het maar even. Ik heb al met d'r gepraat. Ze heet Madelon. Ik hou wel van een beetje concurrentie.'

'Heel fijn dat je dat even komt vertellen,' zegt Nona.

'Ah, jou had ik nog niet gezien,' zegt Axel. 'Ziet er niet gek uit, maar wat ik net zag...'

De meiden kijken elkaar aan. Het is duidelijk dat hij bij hen echt niet in de smaak valt.

40

'Hé, *dude*!' roept hij tegen Justin. 'Kom mee, dan krijg je een drankje van me.'

'Het duurt toch nog even, hè, voordat Romeo er is.' Justin droogt zich af en loopt met Axel mee.

'Ik hoop niet dat die lang blijft,' zegt Nona. 'Laat hij maar gauw met die Madelon gaan, dan zijn wij van hem af.'

'Wat kan het ons schelen,' zegt Annabel. 'We gaan toch niet met hem om.'

'Justin anders wel.' Het zit Isa niks lekker.

'Dat snap ik wel, Kars en zijn vrienden vinden hem te jong. En aan Brian heeft hij ook niks. Hij is blij dat er iemand is.'

Annabel heeft gelijk. Justin kan ook niet alleen maar bij haar blijven.

'Bel Romeo eens op,' zegt Edgar. 'Ik heb zin om te kanoën.'

'Daar heb je ze al.' Annabel wijst naar Stef.

'Aangenaam,' zegt Stef. 'Ik ben jullie regisseur van de nieuwe Timboektoe-film. Onze cameraman komt eraan. Deze film wordt een kassucces, dat verzeker ik jullie. Daar is-ie!' roept Stef. 'Normaal kun je ons voor een behoorlijk bedrag inhuren, maar dit keer doen we het gratis. Willen jullie allemaal bij de kano's gaan staan? Zoek er maar een uit. Een beetje stoer, hè?'

Iedereen speelt mee.

'Wat een flauwekul,' lacht Kars. 'Hij weet het ook wel te verzinnen, hè? Hebben we daar al die tijd op gewacht?'

'Hier hebben jullie op gewacht! Onze nieuwe film, dames en heren: 100% TIMBOEKTOE.' En Romeo houdt een splinternieuwe camera in zijn hand.

'Even allemaal bij de steiger, jongens! Een beetje lachen alsjeblieft. Een beetje een wijze blik, het is voor het introotje, hè?' Romeo kijkt naar Kars die als genageld aan de grond staat.

'Ik, eh… Ik geloof dat ik geen zin heb om in deze film mee te spelen.' Kars draait zich om en loopt weg.

'Ik ook niet.' Isa gaat achter haar broer aan.

'Wat is dit nou weer?' Romeo begrijpt er niks van.

41

'Snap je dat niet?' zegt Stef. 'Die twee hebben sterallures. Ze willen de hoofdrol omdat ze de kinderen van de eigenaar van Timboektoe zijn.'
'Het is alleen voor het introotje!' roept Romeo hun na. 'Jullie krijgen een hoofdrol.' Maar Kars en Isa lopen door.
'Beledigd,' zegt Stef. 'Maar ze komen er wel op terug.'
'Wij gaan gewoon door, lekker lachen allemaal!' En Romeo begint te filmen.

'Wacht nou even!' Isa kan Kars' bijna niet bijhouden.
'Hoepel op! Op jou zit ik helemaal niet te wachten.' En Kars versnelt zijn pas. In zijn haast loopt hij bijna een vrouw omver die met haar baby uit het washok komt. 'Sorry,' zegt hij zonder op te kijken, en hij loopt regelrecht naar het veldje, ritst zijn tent open en gaat op zijn luchtbed zitten.
Isa laat zich niet afschrikken en gaat Kars' tent in. 'Het is wel duidelijk,' zegt ze.
Jules die in zijn eigen tent naar een kaart zoekt, hoort hen. Ze hebben zeker ruzie, denkt hij. Hij wil teruggaan naar de kantine om verder te werken aan de speurtocht als hij Isa hoort.
'Wat doen we? Bellen we meteen de politie of gaan we eerst naar pa?'
'Hou op!' schreeuwt Kars. 'Hou alsjeblieft even je kop, wil je?'
Politie, dan moet er echt iets aan de hand zijn... Jules wil het weten en blijft luisteren.
'Toen je nog dacht dat Sharon het geld had gepikt, deed je wel anders,' zegt Isa.
Dus dat is het, denkt Jules. Er is geld weg.
'Jij snapt er ook niks van, hè?' zegt Kars. 'Ik wist dat het iemand van ons moest zijn omdat de sleutel is gebruikt, maar Romeo... Romeo is mijn vriend, al jaren. Dat dacht ik tenminste, ik dacht dat hij mijn vriend was.' Kars slaat zijn handen voor zijn gezicht.
'Dat is ook rot.' Isa krijgt medelijden met haar broer en slaat een arm om hem heen.

'En ik maar denken dat hij het zo druk had achter de bar,' zegt Kars. 'Intussen heeft hij bijna al het geld van het discofeest gejat.'

'Dat-ie dat heeft gedurfd,' zegt Isa. 'Ze hadden hem makkelijk kunnen betrappen.'

'Wie dan?' vraagt Kars. 'We waren allemaal druk met het feest.'

Jules zit nog steeds in zijn tent. Hij is al net zo geschokt als Isa en Kars. Het lijkt hem niks voor Romeo om zoiets te doen.

'We moeten blij zijn dat we de dader hebben,' zegt Isa, 'ook al is het rot. Anders blijven we maar iedereen verdenken.'

'Het is wel heel brutaal,' zegt Kars. 'Hoe durft hij hier met een gloednieuwe camera aan te komen? Denkt hij soms dat wij achterlijk zijn of zo?' Kars schudt zijn hoofd. 'Ik heb me in geen tijden zo klote gevoeld.'

'Romeo heeft nergens last van,' zegt Isa. 'Die is lekker aan het filmen alsof er niks aan de hand is.'

De gedachte maakt Kars razend. 'Waar haalt hij het lef vandaan? Nog een beetje de leuke jongen uithangen ook. Is hij helemaal gek, ik ga naar hem toe!'

'Ik ga met je mee. Hij heeft ons heel wat uit te leggen.' Ze kruipen de tent uit.

Jules kijkt hen na. Hij roept hen maar niet. Hij pakt de kaart en gaat naar de kantine. Maar het lukt hem niet om zich op de speurtocht te concentreren. Hij moet steeds aan Romeo denken. Hij had nooit gedacht dat die zoiets zou doen. Is het eigenlijk wel zo? Hoe weten ze dat zo zeker? Alleen omdat hij net een nieuwe camera heeft gekocht. Het is dan wel erg dom dat hij daarmee aankomt. Niks voor Romeo, zo naïef ziet hij er niet uit. Misschien heeft hij het helemaal niet gedaan. Maar het moet iemand van hen zijn geweest. Verder kan niemand zomaar in het kantoortje, je moet weten waar de sleutel hangt. Jules heeft zelf ook een sleutel, die heeft hij ooit van Pierre gekregen. Hij ligt in de keukenla, laat hij die maar eens teruggeven. Laatst vroeg zijn vader waar die sleutel van was. Zijn vader... Er gaat een schok door Jules heen. Wat moest zijn vader eigenlijk op het discofeest? Hij zal toch niet...?

Jules schrikt van zijn eigen gedachten. Maar het was wel zo, ineens stond zijn vader daar. Voor drank doet hij alles. Het zou best kunnen dat zijn vader de kas heeft leeggeroofd en nu krijgt Romeo de schuld, maar dat mag niet. Hij moet het weten, hij moet weten of het zo is. Jules fluit Frodo. 'We moeten naar huis.' En hij staat op. 'Dat rotbeen ook,' moppert hij. Hij wil naar huis, maar hoe? Hij kan dat hele eind echt niet lopen. En fietsen gaat al helemaal niet. Nona, Nona moet me brengen. Hij pakt zijn krukken en gaat de kantine uit.

'Daar zijn de hoofdrolspelers, jongens!' roept Romeo als Kars en Isa eraan komen. 'Onze vedettes!' En hij neemt hen op.

'Hou op met dat gedoe!' zegt Kars. 'Ik ben het spuugzat.'

'Mag ik misschien even weten wat er is?' vraagt Romeo.

'Dat kan ik beter aan jou vragen.'

'Ja,' zegt Isa. 'Wat sta je hier nou te filmen met je schijnheilige gezicht. Een beetje de supersnelle cameraman uithangen, hè, van ons geld.'

'Dit snap ik even niet,' zegt Romeo.

Iedereen is er stil van. De spanning is om te snijden. Ze voelen allemaal dat het menens is.

'Jij snapt iets niet? Nou, ik snap ook iets niet. Hoe durf je het kantoortje van mijn vader in te gaan en de kas leeg te roven?' Kars is zo kwaad dat hij maar doorraast. 'Hoe durf je dat? Terwijl iedereen zich uit de naad werkte voor het feest ben jij 'm gesmeerd!'

'Wat!' Geschrokken kijkt iedereen Kars aan.

'Dat kan niet, je vergist je!'

'Jammer genoeg is het waar. We weten het al een paar dagen. Tijdens het feest is bijna al het geld gejat en het moet iemand van ons zijn geweest. En het is iemand van ons geweest, en daar staat-ie! Klootzak!' Kars kan wel huilen van woede.

'Ik ben het helemaal met Kars eens,' zegt Isa. 'Je bent een klootzak.'

44

'Zijn jullie gek of zo?' Romeo trekt wit weg.

'Ja,' valt Stef hem bij. 'Dat vraag ik me ook af. Hoe haal je het in je kop om ons te verdenken, want als jullie Romeo verdenken, kun je mij ook wel verdenken.'

'Hoe kom je dan ineens aan die camera?' vraagt Kars. 'Vorige week heb je nog geld van me moeten lenen omdat je zogenaamd blut was.'

'Die camera mocht-ie van zijn pa kopen,' zegt Stef. 'Omdat hij over is.'

'Zo,' zegt Kars. 'Die pa van jou is wel gul, zeg. Dat wil ik dan wel even van hemzelf horen. Geef zijn mobiele nummer maar, want hij is toch op vakantie?'

'Jij belt helemaal niks,' zegt Romeo.

'Zie je wel, je durft het niet te geven, hè? Het bewijs is geleverd.'

'Laat hem maar bellen,' zegt Stef.

'Ik denk er niet aan, je kunt doodvallen met je rotcamping.' Romeo draait zich om en loopt weg.

Stef gaat achter zijn vriend aan. Ineens is het heel stil. Niemand weet iets te zeggen. Ze kijken allemaal naar Jules die aan komt lopen. Hij wenkt Nona.

'Ik moet even naar huis, wil jij me brengen? Het is dringend.' Nona ziet aan Jules' gezicht dat er iets is.

'Waarvoor moet je naar huis?'

'Je mag niks vragen, beloof je dat?' Jules pakt Nona's hand. Nona vindt het maar vreemd. Wat is er met Jules?

'Wil je me brengen?' vraagt hij weer.

'Natuurlijk.' En Nona haalt haar fiets.

Jules ziet het meteen als ze de straat in komen fietsen. De rode pick-up staat er niet. Dat komt goed uit. Zijn vader hoeft niet te weten wat hij komt doen. Hij vindt het al erg genoeg dat hij zijn vader niet vertrouwt.

Als Nona voor het huis stopt, stapt hij van de fiets. 'Je bent een schat, ik ben zo terug.' Hij drukt een kus op haar voorhoofd,

45

haalt de sleutel uit zijn zak en maakt de deur open. Frodo rent kwispelstaartend naar binnen.

Wat stinkt het hier, denkt Jules. Hij schrikt als hij de kamer in komt. Wat een puinhoop! Overal staan lege flessen. Kom, denkt hij. Je bent hier niet gekomen om de troep op te ruimen. Hij loopt naar de keuken en trekt de la open. Jules' adem stokt. De sleutel is weg!

Had hij die hier wel neergelegd? Was het niet in een andere la? Maar Jules weet het zeker. Dan heeft zijn vader de sleutel er dus uit gehaald. Nog een keer zoekt Jules in de la. Hij haalt hem er helemaal uit, maar eronder ligt ook geen sleutel. Jij hebt het geld gepikt, pa, denkt Jules. Dat moet wel. Maar waar is het? Hij loopt de kamer in en kijkt in het blikje voor het huishoudgeld, maar het is leeg. Waar is het geld? Hij moet het vinden. Jules kijkt overal. Hij doorzoekt de hele buffetkast. Hij kijkt zelfs in de vaas op de schoorsteen, maar hij vindt niks. Hij geeft het niet op en kijkt onder het kleed en onder zijn vaders matras, maar hij kan het geld niet vinden. Buiten hoort hij fietsbelgerinkel. Ook dat nog, Nona snapt natuurlijk niet waar hij blijft. Jules zucht. Wat moet hij nou? Rustig blijven, zegt hij tegen zichzelf en hij gaat op de bank zitten. Hij kijkt naar Frodo die rondsnuffelt en dan denkt hij aan vroeger. Dan hield Jules zijn hond iets voor en als Frodo eraan had geroken, verstopte hij het gauw en dan moest Frodo het zoeken. Hij vond het altijd. Hij weet nog hoe zijn moeder ervan genoot als hij het haar liet zien. Frodo kon het zo goed, dat hij wel eens een voorstelling op school heeft gegeven. Zou hij het nog kunnen? De vlammen slaan Jules uit. Stel je voor dat Frodo hem kan helpen? Hij haalt een briefje van tien euro uit zijn zak en houdt het onder Frodo's neus. 'Zoek, Frodo, zoek het geld.' Frodo snuffelt. Bij de prullenbak begint hij te kwispelen. Zou zijn vader het geld in de prullenbak hebben gestopt? Als Jules de mand omkeert, valt er een korst brood uit.

'Nee, Frodo, zoek het geld.' En Jules houdt het weer onder zijn neus.

Het lijkt alsof Frodo het snapt. Met zijn neus omhoog loopt hij de kamer uit door de gang naar de keuken. Bij de keukentafel begint hij te blaffen. Als Jules bukt ziet hij een briefje van vijf liggen. 'Je kunt het!' roept hij blij. 'Zoek het geld, Frodo, er moet nog meer zijn!'

Tringelingggg... klinkt het buiten. Jules loopt zenuwachtig achter Frodo aan. 'Zoek Frodo, zoek, snel!'

Het is duidelijk dat Nona geen geduld meer heeft. Tringelingg... klinkt het weer.

Bij de poef blijft Frodo staan. Hij blaft en kijkt Jules aan. 'Zoek het geld, Frodo,' zegt Jules. Maar Frodo blijft blaffen. En hij duwt zijn neus tegen de poef alsof hij die om wil gooien. Als Jules de poef optilt en Frodo de onderkant ziet begint-ie te kwispelen. De poef is met een veter dichtgemaakt. Jules trekt de veter los en... Er valt een envelop uit met het logo van de camping erop. Jules kijkt erin en ziet het geld. Wat veel! Jules' hart slaat over. Zijn vader heeft het echt gestolen. Ineens beseft hij wat dat betekent. Als de politie het te weten komt sluiten ze hem op. Hij kan zijn vader toch niet verraden? Maar hij wil ook niet dat Romeo vals wordt beschuldigd. Jules krijgt het ijskoud. Wat moet hij nou? Hij staat met het geld in zijn hand als de bel gaat. Door de schrik was hij Nona even vergeten. Hij propt de envelop in elkaar, stopt het geld gauw in zijn zak en doet de deur open.

'Wat heb je?' vraagt Nona. 'Voel je je wel goed? Je ziet zo wit. Het duurde zo lang, ik dacht ik ga even kijken.' Jules ziet Nona's bezorgde blik en streelt haar wang. 'Je bent lief, we gaan. Bedankt voor het wachten.' En hij geeft haar een zoen.

Nona slaat een arm om Jules heen. 'Het gaat toch wel goed met je?'

'Weet je nog wat je had beloofd?' zegt Jules. 'Je zou niks vragen.'

Nona knikt. Als ze terugfietsen begint ze gauw over iets anders.

'Ik ben zo benieuwd hoe het met Romeo is. Denk jij dat hij het heeft gedaan?'

'Nee,' zegt Jules.

'Ik ook niet,' zegt Nona. 'Het kan best een grapje zijn, dat het geld er ineens weer ligt. Dat hoop ik eigenlijk, dat het een grap was.'

Dat is het, denkt Jules. Ik leg het geld terug, dan weten ze zeker dat Romeo het niet heeft gestolen. Dat doe ik! Hij voelt zich meteen een stuk beter. 'Stop!' schreeuwt hij.

'Wat is er?' Nona staat meteen stil.

'Ik heb zin om je te zoenen,' zegt Jules. 'Jij bent de liefste van de wereld.'

'Niet,' zegt Nona lachend.

'Welles!'

'Nietes!' lacht Nona. 'De liefste van de wereld ben jij!'

5

Niemand heeft zin om te varen. Alle kano's liggen dobberend in het water.

'Wat doen we nou?' vraagt Isa als Romeo en Stef al een poosje weg zijn.

'Je dacht toch niet dat ik ze achterna ga, hè?' Kars kijkt haar aan of ze gek is.

Edgar gooit een steentje in het water. 'Het zal toch moeten worden opgelost.'

Isa is blij als ze Justin en Axel ziet komen. Ze rent meteen naar haar vriendje. 'Heb je gehoord wat er is gebeurd?'

Maar dan ziet ze dat er een meisje naast hen loopt. Dat is zeker die Madelon, denkt ze als ze het lange blonde haar ziet.

'Hi, je komt wel op een raar moment, hoor.' En Isa wil vertellen.

'We hebben het al van die Romeo gehoord,' zegt Axel. 'Zijn jullie niet een beetje te groot om voor detective te spelen? Vroeger hadden wij ook zo'n club op school. Detectivebureau de zwarte hand. Die losten alles op.'

'Het gaat hier om heel wat money,' zegt Kars.

'Het is toch uit de kas van je pa gejat, het was toch niet je eigen geld? Daar zou ik me dus nooit zo druk om maken. Het is toch zijn camping? Risico van het vak. Die ouwe van mij kon de pot op. Hij loste het maar lekker zelf op. Wat zeg jij?' Axel geeft Madelon een aaitje onder haar kin. 'Jij zat anders net lief te lachen naar die Romeo. Ja, dat zag ik wel.'

'Het is toch ook een scheetje,' zegt Madelon.

'En wij dan?' vraagt Axel. 'Daar staan we nou, Justin.'

'Jullie zijn ook lief.' Madelon slaat een arm om hen heen. 'Wijs je vriendin nou eens aan,' zegt ze tegen Justin. 'Ik wil die stoot van jou wel eens zien.'

'Dat ben ik.'

'O.' Met een afkeurende blik bekijkt Madelon Isa van top tot teen. En dan steekt ze haar borsten vooruit.

'Dus onze crimineel zit doodleuk in de kantine,' zegt Kars.

'Niet meer,' zegt Axel. 'Ze zijn aan het pakken. Ik heb hun het adres van een heel gave camping gegeven, hier zo'n honderd kilometer vandaan.'

'Dus hij smeert 'm,' zegt Isa.

'Wat wou jij dan?' vraagt Axel. 'In zijn plaats zou ik ook niet blijven.'

'Kan mijn oma hem zeker naar het station brengen. Dat gaat mooi niet door.'

'*Chill*, kippie, je oma hoeft hen niet te brengen. De boys gaan liften. Die houden wel van een beetje avontuur. Ja, dat komt door mij. Ik heb ze even lekker gemaakt. Jou ook, hè?' Axel kijkt Justin aan. 'Wij gaan ook een paar dagen samen liften. Dan laat je je kippie gewoon hier, die loopt niet weg, echt niet.'

'Jij met je kippie...' Madelon moet lachen.

'Mag het niet?' Axel kijkt heel onschuldig.

'Je doet maar,' zegt Madelon. 'Zolang je mij maar geen kippie noemt vind ik alles best.'

'Voor zoiets moois heb ik heel andere naampjes,' lacht Axel. 'Als je je best doet krijg je er nog wel eens een te horen.'

'Hij wel.' Madelon snuift.

'Komen jullie nog?' Stef en Romeo staan een eindje verderop met hun rugtas om.

'Lafaard!' roept Kars. 'Ertussenuit knijpen, hè? We weten je echt wel te vinden.'

'Kom op!' Axel trekt Madelon mee. 'Je moet aan het werk, schoonheid.'

'Ja,' lacht Madelon. 'Daar hebben ze mij voor nodig. Ideetje van Axel. Ik moet liften en zij verstoppen zich achter een boom en als er een auto stopt, komen ze gauw te voorschijn. Tot straks.' Madelon knijpt in Justins arm. 'Pas je goed op jezelf, jochie?'

Justin kijkt hen lachend na. 'Nou, die hebben zo een lift.'
'Hoezo?' vraagt Isa. 'Omdat zij erbij staat zeker. Zo mooi is ze
nou ook weer niet.' Isa voelt dat ze jaloers is op Madelon.

'Wat een rotdag,' zucht Kars. 'Van mij hoeft het allemaal even
niet meer.'
'Echt niet?' Annabel kijkt hem aan.
Kars wordt rood. 'Nou ja, ik bedoel maar zo.'
'Zal ik je opvrolijken?' vraagt Annabel.
Isa stoot haar vriendin aan. Ze moet hiermee ophouden. Als
ze Kars wil versieren moet ze het niet op zo'n moment doen,
dan snauwt hij haar zo af.
Maar Kars wordt niet kwaad. Hij gaat er zelfs op in. 'Graag,'
klinkt het aardig.
Isa is zo verbaasd dat ze Ad niet eens hoort aankomen. Ineens
staat hij voor hen.
'Wat is dit nou? Zijn jullie niet gaan kanoën? Waar wachten
jullie op?'
'We weten wie het geld heeft gestolen,' zegt Isa. 'Romeo. Hij
heeft het meteen uitgegeven en kwam hier met een gloednieuwe camera aanzetten. En wat denk je, geen sorry zeggen, hoor,
nee, die lafbek is 'm gesmeerd, samen met Stef.'
'Geen punt,' valt Kars haar bij. 'De politie heeft ze zo te pakken.'
'Wat is dit allemaal?' Ad wordt rood. 'Waarom word ik hier-
buiten gelaten? Je gaat toch niet zomaar je vriend beschuldigen?'
'O, jij gunt hem die camera wel,' zegt Kars. 'Cadeautje van
jou. Nou, mij best hoor. Je deelt maar uit. Maar dan willen wij
ook wel een bonus van een paar honderd euro. Ik dacht dat je
het zo erg vond. Een aderlating noemde je het toch? Dat kon
Timboektoe helemaal niet missen. En je loopt al dagen met
een rotkop rond, hoe moet ik dan ineens...'
'Jij moet helemaal niks.' Ads stem klinkt streng. 'Ik had het
nog zo gezegd: we gaan niemand beschuldigen.'

'De dader zeker ook niet, die laten we gewoon lopen. Hier snap ik dus echt niks van. Maar het zal wel aan mij liggen.'

'Wie zegt dat Romeo de dader is? Waar zijn ze, ik ga meteen met ze praten.'

'Dat zei Isa toch, ze zijn weg.'

'Weg?'

'Ja,' zegt Kars. 'En ze komen niet meer terug ook.'

'Waar zijn ze dan heen?'Ads stem klinkt bezorgd.

'Weet ik veel, naar een of andere camping die Axel wist. Als je opschiet kun je ze nog een lift geven, ze staan langs de weg.'

'Madelon staat langs de weg, zul je bedoelen,' zegt Isa.

'Nou ja! Nog gekker.' Ad grijpt naar zijn hoofd. 'En dat gebeurt allemaal als ik er even niet ben. Ik ga ze meteen halen.'

Hij komt langs een groepje kinderen die takken van de struiken breken om een indianentooi te maken. Daar zou hij normaal iets van hebben gezegd, maar nu loopt hij er straal aan voorbij.

Kars kijkt zijn vader zuchtend na. 'Van hem snap ik ook niks, blijvend hersenletsel opgelopen in het onderwijs, zullen we maar zeggen.'

'Er is hier iemand die je wil opvrolijken, weet je nog?' zegt Isa. Kars kleurt en loopt weg.

'Mij mag je wel opvrolijken.' Edgar werpt een heel stoute blik naar Annabel. Maar Annabel gaat er niet op in.

Hoe dichter ze bij de camping komen hoe stiller Jules wordt. Hij heeft nou wel bedacht om het geld terug te leggen, maar hij vindt het best eng. In het kantoortje kan hij het niet neerleggen, want daar loopt Ad in en uit. Hij moet niet zomaar iets doen. Hij kan beter even wachten en een goed plan uitwerken. Dan denken ze nog maar even dat Romeo de dader is, dat maakt nou ook niks meer uit, ze hebben nu toch ruzie, dan duurt die maar wat langer. Maar als hij van Ad hoort dat Romeo en Stef zijn vertrokken, wordt alles anders. Hij moet nu handelen, voordat alles uit de hand loopt. Nu kunnen ze nog worden teruggehaald.

Jules voelt zich raar als hij over de camping loopt. Iedereen praat over het gestolen geld. Ze moesten eens weten dat het in zijn zak zit. Maar niet lang meer. Hij besluit het in het huis te leggen, midden op tafel, goed in het zicht zodat ze het wel moeten zien.

Jules denkt aan Romeo. Wat zal die zich naar voelen. Hij heeft nog geluk dat Stef het voor hem opneemt. Jules zucht. Ja, pa, dat heb jij op je geweten, sukkel! Vroeger was je woedend geworden als je zoiets hoorde. Jules bijt op zijn lip. Was het nog maar zoals vroeger. Wat een rotklus! Nou moet hij Nona ook nog voorliegen.

'Ik moet even naar mijn tent,' zegt hij.

'Mag ik niet mee?' vraagt Nona. Maar dan bedenkt ze gelukkig dat ze geen vragen mag stellen.

'Ik kom zo.' Jules wacht tot Nona weg is en loopt dan de tuin in. Raar is dat, Jules komt hier zo vaak, hij mag altijd het huis in als hij wil, maar nu voelt hij zich net een insluiper. Hij kijkt of de kust veilig is, haalt diep adem en stapt naar binnen. Die krukken maken het nog tien keer erger. Elke stap die hij zet ketst door de holle gang. Frodo heeft nergens last van, die huppelt vrolijk voor hem uit.

Voor de kamerdeur blijft Jules staan. Voor de zekerheid klopt hij aan. Hij krijgt geen antwoord en gaat naar binnen. Jules zucht. Hij voelt zich net een crimineel. Bedankt, pa, nou mag ik dit opknappen. Daar heb je natuurlijk weer niet aan gedacht toen je het geld jatte. Welnee, jij denkt nergens aan, alleen aan drank.

Jules staat bij de tafel als hij in de keuken voetstappen hoort. Ook dat nog. Wat moet hij zeggen als ze hem hier zo zien?

'Hé, Frodo, hoe kom jij hier nou binnen, beestje,' hoort hij oma zeggen. 'Hebben ze je hier per ongeluk opgesloten? Kom maar gauw mee, Jules is vast ongerust.'

Jules aarzelt even. Zal hij maar te voorschijn komen? Maar dan hoort hij dat de voetstappen verdwijnen. Snel, denkt hij. Hij haalt het geld uit zijn zak. In zijn haast heeft hij niet in de gaten dat er een papiertje tussen zit met aantekeningen voor de speurtocht. Zonder te kijken legt hij het geld op tafel en gaat weg.

Buiten haalt hij opgelucht adem. Het geld ligt er, nou maar hopen dat ze het snel vinden. Toch zit het hem niet lekker dat oma Frodo binnen heeft gezien. Stel dat ze achteraf ineens aan hem denkt. Hij voelt paniek bij die gedachte. Hoe moet hij dit nou oplossen? Ineens weet hij het: 'Frodo!' roept hij. 'Frodo!' klinkt het over de camping, alsof hij al heel lang loopt te zoeken.

Oma hoort het. Ze doet de kantinedeur open. 'Hij is hier, hoor. Ik vond hem in huis.'

'Hoe komt hij daar nou?' Jules schaamt zich dat hij oma voorliegt, ze is juist zo lief. Maar ze heeft gelukkig niks in de gaten. 'Geen idee, hij zal wel naar binnen zijn geglipt toen Hanna wegging.'

'En ik maar zoeken. Gelukkig ben je er weer.' En Jules neemt Frodo mee.

'Aha,' zegt Kars als Axel en Madelon terugkomen.

'Jullie hebben het opgegeven. Blijkbaar was het toch niet zo makkelijk als jullie dachten.' Er klinkt triomf in Isa's stem. Ze kijkt Justin expres aan.

'Wel dus,' zegt Madelon. 'De eerste auto die langskwam stopte.'

'De chauffeur voelde zich wel een beetje genept toen de boys te voorschijn kwamen,' zegt Axel, 'maar hij liet zich niet kennen en nam ze mee.'

'Die zitten over een paar uurtjes heerlijk achter een witbiertje.'

'Of achter een Passoa,' zegt Axel. 'Dat laat ik jou vanavond proeven, Justin. Dan wil je nooit meer iets anders, dat voorspel ik. Bij elk glaasje wordt het lekkerder.'

'Is dat niet hartstikke duur spul?' vraagt Justin.

'In de tent van mijn ouders staat nog een voorraadje. Ik smokkel wel vaker een flesje mee. Merken ze niet eens. Ik lag slap

toen ik mijn moeder laatst hoorde. "Is die Passoa nu alweer
op? Echt vakantie, hè, je hebt niet eens meer in de gaten hoeveel je drinkt."'
'Ik help je wel om die fles leeg te maken,' zegt Madelon.
'Laten we hier bij de rivier afspreken,' zegt Axel. 'We maken
er gewoon een feestje van. Jij komt toch ook?'
'Wij willen dat spul wel eens proeven, toch?' Justin kijkt Isa
aan.
'Ja, hoor,' zegt Axel. 'Neem je kippie maar mee. Durf je soms
niet alleen?'
'Of mag je niet alleen?' vraagt Madelon. 'Je vertrouwt je
vriendje toch wel met ons?'
'Natuurlijk vertrouw ik hem.' Maar Isa beslist toch om mee te
gaan.

De stemming is er wel uit. Iedereen hangt maar wat rond bij
de steiger. Axel komt op zijn skates langs. 'Zitten jullie nog
steeds zo? Het is prachtig weer, mensen, doe iets.'
Maar er komt geen beweging in.
'Dan moeten jullie het zelf maar weten.' En hij is alweer weg.
Ga maar gauw, denkt Isa, op jou zitten we helemaal niet te
wachten. Ze was blij toen Madelon zei dat ze weg moest.
'Kom op, doe iets,' doet Isa Axel na. 'Alsof wij nog ergens zin
in hebben.'
'Deze dag is verpest,' zegt Nona. 'Het is ook zo gek zonder
Romeo en Stef. Ze horen er gewoon bij.'
Jules hoort het allemaal maar zo'n beetje aan. Hij voelt zich
opgelaten. Vonden ze het geld nou maar, dan is het tenminste
voorbij.
'Ik wou dat het nooit gebeurd was.' Annabel springt op. 'Dat
stomme rotgeld ook.'
'Axel heeft gelijk, wat heeft het nou voor zin om onze middag
te verpesten. We kunnen beter iets leuks gaan doen, dan vergeten we het even.' Brian kijkt naar Sharon. Ze lacht naar
hem. Nu durft hij wel terug te lachen, ze gaat vanavond toch
weg.

55

'Ik ga kanoën,' zegt Annabel. 'Wie doet er mee?'

Brian aarzelt of hij niet toch naar de grot zal gaan om verder te tekenen. Zijn laatste poging ziet er best goed uit. Maar hij is bang dat Sharon meegaat om te helpen. Hij wil niet weer alleen met haar in de grot zijn. Hij kan ook morgenochtend zijn tekening afmaken. Het archief is toch niet zo vroeg open. Toen hij met tante Maya in het archief was hebben ze gevraagd hoe hij er kon komen. Hij heeft geluk. Hij kan met zijn fiets naar het dorp, en daarvandaan gaat een bus die schuin tegenover het archief stopt. Een hele opluchting, nou kan hij er zo vaak heen als hij wil.

'Reserveer voor mij ook maar een kano!' roept hij tegen Annabel.

'Jij moet ook mee,' zegt Annabel tegen Isa.

'Ik heb geen zin,' zegt Isa.

'Dan maak je maar zin.' Annabel trekt haar op.

Als Kars eraan komt gaat er een schok door Jules heen. Zou hij komen vertellen dat het geld is gevonden? Maar als Kars dichterbij is, ziet hij het al aan zijn gezicht. Ze hebben het nog niet ontdekt. Jules wordt ongerust. Is het niet dom wat hij heeft gedaan? De deur van het grote huis is nooit op slot. Iedereen kan er zo binnen lopen. 'Er is toch niks te halen,' zegt Ad altijd, maar nu wel. Stel je voor dat het weer wordt gepikt. Dan moet hij wel vertellen dat hij het er heeft neergelegd, anders blijven ze Romeo beschuldigen. Wat moet hij nou? Hij kan het nu niet meer weghalen. Misschien moet hij een beetje in de buurt blijven, zodat hij kan zien wie er naar binnen gaat.

'Als jullie toch gaan kanoën dan ga ik verder met de speurtocht.'

Niemand vindt het vreemd, alleen Nona kijkt Jules na. Wat is er toch met je, denkt ze.

'We gaan kanoën,' roept Edgar naar Kars, 'en jij moet je ook niet langer druk maken om dat gedoe.'

'Dat vind ik ook,' zegt Annabel. 'Je loopt hier als een zombie rond en Romeo zit nergens mee hoor, die heeft wel lol op die camping.'

'Die zit alweer achter de meiden aan,' lacht Brian. 'En wij ver-zieken onze vakantie.'

Ze willen net de peddels gaan halen als Kars' mobiel afgaat.

'Romeo, wedden?' Isa weet het zeker. 'Hij heeft spijt. Lekker vlot, jongens.'

Kars kijkt op zijn mobiel. 'Het is pa.'

'Wat moest-ie?' vraagt Isa als Kars zijn telefoon wegstopt.

'Of ik onmiddellijk naar huis kom. Hoe vind je dat nou weer? Die ouwe wordt ook steeds maffer.'

'Je krijgt straf,' zegt Edgar. 'Je moet strafregels schrijven.'

'Ja, en dan zonder eten naar bed,' lacht Kars. 'Zo meteen zegt-ie nog dat hij het aan Sinterklaas gaat vertellen.'

'Hij is echt kwaad dat je Romeo hebt beschuldigd,' zegt Isa. 'Ik ga met je mee, want het was wel onze gezamenlijke ac-tie.'

'Ik wou dat ik zo'n zus had,' zucht Edgar.

'Alsof ik nooit voor je opkom,' zegt Brian.

Isa staat al op.

'Ik ga niet, hoor,' zegt Kars. 'Het is toch belachelijk. Als hij iets te zeggen heeft komt hij maar hier. Hoe oud denkt hij dat ik ben? Het gaat nooit over, hè, als je schoolmeester bent ge-weest. Af en toe krijgt-ie weer een aanval.'

'Dat hoeft hij niet meer te proberen,' zegt Isa, 'en dat gaan we hem nu vertellen.'

Daar heeft Kars wel zin in en hij loopt met Isa mee.

'Jullie krijgen billenkoek, hoor,' roept Edgar hun na.

Isa en Kars barsten meteen los als ze binnenkomen. 'Nou moet jij eens naar ons luisteren, pa.'

'Prima, ik ben één en al oor, maar eerst wil ik dat jullie kijken.' Ad wijst naar de tafel.

'Nee, hè, we krijgen Franse les. De meester wijst een voorwerp aan en wij moeten zeggen wat het is in het Frans. *La table...*'

'*Et la chaise,*' zegt Isa, 'dan hebben we dat ook vast gehad.'

Maar ineens zien ze wat Ad bedoelt. Op tafel ligt een pak geld.

'Is dat...?' Kars en Isa kijken Ad aan.

Ad knikt. 'Het is het geld van de disco.'

'Dus je hebt het gevonden,' zegt Kars. 'Je...'

'Luister nou even naar papa,' zegt Hanna, die er ook bij zit.

'Moeten we nog luisteren ook?' roept Kars verontwaardigd uit. 'Ik word gek hier, het was zogenaamd gejat.'

'Het was ook gestolen,' zegt Ad.

'Hoe bedoel je? En net zeg je dat dit het geld van de disco is.'

'Het is terug,' zegt Ad. 'Het lag hier ineens.'

'Op tafel?' Isa en Kars kunnen het niet geloven.

'Nee, pa, dat zeg je omdat je zo gaar bent geweest het kwijt te raken.' Maar als ze naar hun vader kijken, zien ze dat het waar is wat hij zegt. 'Dus iemand heeft het hier op tafel gelegd.'

'Ja,' zegt Ad. 'Het komt hier niet vanzelf.'

'En nog niet zo lang geleden,' zegt Hanna. 'Toen ik hier een halfuur geleden binnenkwam, lag het er nog niet. En oma is rond die tijd ook nog in de kamer geweest en toen lag er ook niks, toch, ma?'

'Nee,' roept oma vanuit de keuken. 'Het is heel vreemd,' zegt ze als ze binnenkomt.

Nu dringt het pas tot Kars door. 'Maar dan... dan heeft Romeo het dus niet gepikt.'

'Nee,' zegt Ad.

'Shit!' Kars wordt vuurrood. 'Wat een blunder!'

'Ja, dat kun je wel zeggen,' zegt Ad. 'Ik had je nog zo gewaarschuwd.'

'Ja hoor, jij weet het altijd allemaal zo goed. Nou is het zeker mijn schuld.'

'Dat Romeo is vertrokken wel,' zegt Ad.

'Dan is het ook mijn schuld,' zegt Isa. 'We hebben het alletwee gedaan.'

'Het gaat er niet om wiens schuld dit is,' zegt oma. 'Het moet worden opgelost.'

'Misschien heeft iemand wel een grap uitgehaald,' zegt Isa.

'Dat denk ik niet,' zegt Ad. 'Er ontbreekt vijftig euro. Iemand heeft het gestolen en spijt gekregen. Waarschijnlijk omdat Romeo de schuld kreeg.'

'Wat interesseert dat mij nou,' zegt Kars. 'Door dit gedoe ben ik mijn beste vrienden kwijt.'

'Dat moet goed komen,' zegt Ad.

'We bellen hem op,' zegt Isa.

'Dat gaat niet,' zegt Ad. 'Ik probeerde hem al te bereiken, maar zijn telefoon staat uit.'

'Maar nou weten we nog niet wie het geld hier heeft neergelegd,' zegt Isa.

'Daar gaan we ons nu niet mee bezighouden,' zegt Ad. 'Eerst moet het met de jongens in orde komen. Axel heeft me verteld op welke camping ze zitten. We kunnen erheen rijden.'

'Als Romeo mij ziet gaat hij echt niet mee,' zegt Kars. 'Hij is woedend op me en terecht. Shit... shit... shit! Wat ben ik een *sucker*.'

'Helemaal niet,' zegt Isa. 'Het is toch ook wel *fucking* toevallig dat hij net een camera mocht kopen van zijn pa.'

'Laten we een plan maken,' zegt Ad. 'Ik bel die camping dat ik Romeo wil spreken.'

'Ja hoor, de generaal. En dan moet Romeo naar de telefoon rennen zeker. Jij snapt ook niks, hè? Dat doet hij nooit!'

'Nee, Ad,' zegt Hanna. 'Je hebt het niet tegen een leerling. Jullie zullen ernaartoe moeten.'

'Dan wil ik eerst weten of hij daar wel is.' Ad draait het nummer van de camping, maar volgens de beheerder zijn er geen twee jongens aangekomen.

'Die zijn ergens onderweg gedropt,' zegt Isa. 'Die staan te wachten op een lift.'

'Het komt wel goed,' zegt oma. 'Laat het maar aan mij over. Ik rij gewoon die route, grote kans dat ik ze ergens zie.'

'En wat zeg je dan?' vraagt Kars.

'Ik vraag gewoon waar ze heen moeten en dan zeg ik dat ik ook die kant op moet. En als ze in de auto zitten, vertel ik dat het geld is gevonden en dat Kars er heel erg mee zit. Dat hij van ellende is weggelopen. En dan neem ik ze mee naar het café in het dorp en daar kom jij dan heen, Kars. En dan moeten jullie het uitpraten, akkoord?'

'Er valt helemaal niks uit te praten,' zegt Kars. 'Ik heb het gewoon verpest.'

'Laat dat nou maar aan mij over,' zegt oma. 'Iedereen maakt wel eens een fout, zo moeilijk lijkt Romeo mij niet.'

'Ik hoop het,' zucht Kars.

'Dus we spreken af in het café?' vraagt oma.

Het duurt even, maar dan knikt Kars. 'Oké, ik ben er.'

Jules knapt bijna van de spanning en loopt maar heen en weer. 'Ga nou even rustig zitten,' zegt Annabel. 'Van jou krijg ik helemaal de zenuwen.'

Eindelijk komen Isa en Kars terug.

'Hè hè,' zegt Edgar. 'We dachten al dat jullie huisarrest hadden.'

'Ad had wel iets belangrijks te vertellen.' Isa kijkt naar Kars. 'Vertel jij het maar.'

Schiet nou op, denkt Jules. Hij wil de woorden wel uit hun mond trekken.

'Het geld is terug,' zegt Kars. 'Het lag bij mijn ouders op tafel.'

'Wat een leukerd is die vader van jou, zeg!' Iedereen is verontwaardigd. 'Was hij vergeten dat hij het daar had neergelegd? Als-ie nog eens wat weet.'

'Jullie snappen het niet,' zegt Isa. 'Het was wel gestolen, maar iemand heeft het teruggelegd.'

'Hoezo, iemand, wie dan?'

'Dat weten wij ook niet,' zegt Kars. 'Het lag er ineens.'

'Dus Romeo heeft het helemaal niet gepikt?' zegt Edgar.

'Nee.' Kars slaat zijn ogen neer. 'Ik heb heel wat goed te maken. Mijn oma is ze zoeken. Als ze ze heeft gevonden gaat ze met hen naar het café in het dorp en dan ben ik daar ook om het uit te praten.'

Het is gelukt, denkt Jules. Het is helemaal gelukt. Hij zucht zachtjes.

Kars vertelt verder, maar als Axel eraan komt houdt hij zijn mond. Axel heeft het al opgevangen. 'Wat hoor ik, toch de verkeerde beschuldigd?'

'Zoiets,' zegt Kars.

'Nou nou, die beschuldigt zomaar een vriend, zonder het eerst uit te zoeken. Hij had het ook aan Romeo kunnen vragen, toch? Dat zou ik hebben gedaan. Wat jij?' Axel kijkt naar Edgar. 'Zou jij je beste vriend zomaar beschuldigen?'

'Nee,' zegt Edgar.

'Dan zou je het toch eerst vragen? Toch, Justin?'

Justin knikt.

'Wat zeg jij, Jules? Zoiets doe je toch niet?'

Jules mompelt, dat het niet zo slim is wat Kars heeft gedaan. Hij wil Axel niet tegenspreken, hij is bang dat ze dan argwaan krijgen.

'Als-ie eerst behoorlijk onderzoek had gedaan, was het wel anders geweest,' zegt Axel. 'Dan was jullie dag niet verpest. Of overdrijf ik en was het wel een fijne dag?' Hij vraagt het aan Nona.

'Natuurlijk niet,' zegt Nona. 'Het was afschuwelijk.'

'Juist,' zegt Axel. 'En allemaal voor niks. Jullie moeten je toch wel behoorlijk gepakt voelen. Tenslotte staan jullie ook voor paal. Je schaamt je toch dood tegenover Stef en Romeo?'

Axel gaat door tot iedereen kwaad is op Kars.

'Vind je dat nou leuk?' valt Annabel tegen Axel uit. 'Jij fokt de hele boel op. Kars heeft een blooper gemaakt. Nou en?'

'Noem dat maar een blooper. Je beste vrienden die helemaal voor jou naar Frankrijk zijn gekomen laten vallen, omdat je een dom idee in je kop hebt.'

'We hebben hem allemaal laten vallen,' zegt Annabel. 'Alleen Stef kwam voor hem op.'

'En mijn persoontje,' zegt Axel.

'Ja, jouw persoontje,' zegt Annabel. 'Ik krijg wat van jouw persoontje.'

'Tut tut tut...' doet Axel. 'Niet zulke praatjes, kuikentje.'

'Jij noemt Annabel geen kuikentje, begrepen?' Kars schrikt zelf van de felheid waarmee het eruit komt.

'Jullie bekijken het maar.' Axel draait zich om. Hij is nog niet weg of Kars' mobiel gaat af.

'Oma!' zegt Isa. 'Ze heeft ze gevonden.' Vol spanning luisteren ze.

'Hallo,' zegt Kars. 'Hallo…' Wanhopig schudt hij zijn mobiel. 'Ik krijg geen gehoor.'

'Heb je al wat gehoord?' vraagt Hanna als ze met z'n allen de kantine in komen.

'Nee,' zegt Kars, 'mijn mobiel ging net wel af, maar ik kreeg geen verbinding, dus komen we maar hier.'

'Ik vind dat we wel iets lekkers hebben verdiend.' Isa loopt naar de bar en schenkt voor iedereen iets in. 'Zo, nou nog een paar chippies erbij.' Ze schuiven een paar tafels aan elkaar en gaan zitten.

Jules weet nog steeds niet goed hoe hij zich moet gedragen, daarom gaat hij maar verder met de speurtocht.

Hanna bekijkt de tekening. 'Je bent al een heel eind.'

'Ik heb Jules vanochtend geholpen,' zegt Annabel, 'maar het is nog een hele klus.'

'Die hoeven jullie niet helemaal zelf te doen,' zegt Hanna. 'Kylian neemt het over.'

'Mijn mobiel.' Kars neemt op. Hij gaat ervan uit dat hij oma krijgt, maar het is een wildvreemde stem.

'Goedemiddag,' klinkt het plechtig. 'Spreek ik met Kars Hogendoorn?'

Kars wordt er zelf ook heel beleefd van. 'Ja, daar spreekt u mee.'

'Ik ben van de krant, wij willen graag een interview met u.'

'Dan moet u bij mijn moeder zijn, Hanna Hogendoorn, die gaat daarover. Ik geef haar wel even, ze staat vlak bij me.'

'O, maar u was toch die speurneus die zo goed daders kan opsporen? Hahaha…' hoort hij achter zich. Als hij zich omdraait ziet hij Romeo en Stef in de deuropening staan.

Met een stralend gezicht kijkt Romeo hen aan. 'Wat hoor ik, gaan we weer verder met filmen?'

'Sorry.' Kars loopt naar Romeo toe.

Romeo geeft hem een klap op zijn schouder. 'Niks sorry, ik had dit nooit willen missen. Dit is echt de topper van mijn vakantie. Wanneer word je nou voor crimineel uitgemaakt? Het zegt wel iets over mijn genialiteit. Mijn kinderen en achterkleinkinderen zullen er trots op zijn. Hier praten ze nog generaties lang over. En dan heb ik het nog niet eens over mijn marktwaarde bij de dames. Die is zeker met 80 procent gestegen.'

Het ijs is meteen gebroken. Iedereen moet lachen. Romeo loopt naar de computer. Er staat een groepje kleintjes voor. 'Laat deze meneer er eens bij, jongens.'

De kinderen grinniken omdat ze hem niet verstaan. Proestend van de lach hollen ze weg.

'Zie je wat een gezag ik heb?' Romeo gaat achter de computer zitten. 'Dit is echt mijn sweetmemory jongens, die ga ik er even op zetten.'

'Dat moeten we zien!' Ze verdringen zich om Romeo heen.

Romeo duwt Kars terug. 'Jij hebt geen tijd. Voor jou heb ik een ander klusje. Jij mag mijn tent opzetten.'

'Komt voor elkaar, chef!' Kars salueert.

'Krijg nou wat,' zegt Edgar als hij de site bekijkt. 'Mijn sweet memory is verdwenen. Dat is maf!'

Kars wordt vuurrood, maar dat merkt gelukkig niemand.

'Ja, hoor, hij is er echt af.' Edgar doorzoekt de hele site met de muis. 'Er gebeuren hier wel erg vreemde dingen in Timboektoe.'

'Heel vreemde dingen,' zegt Romeo. 'Daar kan ik je alles over vertellen. Hier komt mijn sweet memory.' En hij begint te typen.

'Daar sta je nou, jochie,' zegt Romeo tegen Kars. 'Als er ooit een boek over Timboektoe verschijnt komt het erin. Dan kan iedereen lezen wat een bijdehandje jij bent.'

'Toch snap ik niet waar mijn sweet memory is gebleven,' zegt Edgar.

'Als ik jou was zou ik er een detective op zetten. Ik kan je er een aanbevelen.' Romeo wijst naar Kars. 'Hij heeft het zo voor je uitgezocht. Ik zeg het niet alleen omdat hij mijn vriend is, hoor, o nee, hij is echt een superspeurneus.'

Kylian stapt de kantine in. 'Hebben jullie tijd?'

'We gaan naar het eiland!' Ze springen meteen op.

'Als het echt een big party moet worden, dan moet er zo snel mogelijk worden begonnen,' zegt Kylian.

'Wil iedereen mee?' vraagt Kars.

'Logisch,' zegt Isa.

'We zijn met z'n elven,' telt Kars. 'Dan is er één kano te weinig.'

'Ik blijf wel hier,' zegt Sharon. 'Ik ben er toch niet met het feest.'

'Nergens voor nodig,' zegt Kylian. 'Ik zwem ernaartoe.'

'In dat koude water!' roepen ze. 'Wat een bikkel.'

'Dit is nog maar het begin,' lacht Kylian. 'Jullie krijgen nog veel meer van mij te zien. Ik trek even mijn zwembroek aan en dan zie ik jullie zo bij de rivier. Dan vertel ik waar jullie heen moeten.'

'Jij bent snel!' roepen ze als ze bij de rivier komen en Kylian hen al staat op te wachten.

'Die kant moeten we op,' wijst Kylian.

'Daar is toch geen eiland,' zegt Edgar. 'Vergis je je niet?'

Maar Kylian weet het zeker. 'Die rots die heel erg uitspringt, weten jullie die? Daar vaar je gewoon aan voorbij,' zegt hij als ze knikken, 'tot je rechts in de rivier een vertakking ziet, die moet je in. Als je dan doorvaart, dan kan het niet missen. Tot zo.'

En hij trekt zijn T-shirt uit en duikt het water in.

'Wat een mafkees,' zegt Romeo. 'Wie gaat er nou dat hele eind zwemmen?'

'Volgens mij klopt er iets niet,' zegt Brian. 'Ik heb daar nog nooit een vertakking gezien.'

'Jules zal het wel weten,' zegt Nona. 'Maar die is er niet.'

'Niet zeuren.' Edgar stapt in een kano. 'We gaan gewoon. Een stukje peddelen is nooit weg.'

Ze geven Kylian een flinke voorsprong en vertrekken.

De jongens kijken op van Nona die nog beter kan kanoën dan Annabel.

'Hé, wat dachten jullie van mij?' Kars zoeft door het water.

Met de anderen gaat het ook beter. Alleen Romeo slaat om, maar dat is zijn eigen schuld. Hij moet steeds omkijken naar twee zwemmende meiden.

Ze hebben al een flink eind gevaren als ze de uitstekende rots zien.

'Dat die gast dat hele eind heeft gezwommen.' Stef blijft zich verbazen.

'We moeten nog verder!' roept Brian als Annabel afremt. 'Dat zei hij toch! Tot de vertakking.'

'Welke vertakking?' vraagt Kars. 'Maar goed, ik wil niet kinderachtig zijn.'

Romeo zet zijn handen rond zijn mond. 'AHOY! Zijn we al niet veel te ver?'

'Ik zie nog steeds geen vertakking,' zegt Kars. 'Doorvaren maar.'

Na een tijdje wordt het Kars toch te gek. 'Stop! Dit kan niet, jongens! Zo ver kan het nooit zijn.'

'En Kylian dan?' vraagt Isa.

'Weet ik veel,' zegt Kars. 'Maar dit kan niet.'

'Omdraaien!' roept Romeo over het water. 'Bevel van de kapitein.'

Ze peddelen terug.

'Hallo!' horen ze ineens. 'Hierin!'

'Wat…?' Kylian staat zwaaiend op de rots. 'Hier is de vertakking.' En hij duikt het water in.

'Is daar een doorgang?' Dat wisten ze niet. Maar hij ligt ook zo goed verstopt, en is ook heel smal. Een kano past er maar net door. Ze varen achter Kylian aan. Ineens wordt het water heel breed. De doorgang leidt naar een kring van rotsen. Tussen de rotsen ligt een groot meer.

'Daar is het!' Midden in het meer ligt een eiland.

'Gaaf!' roepen ze. Ze peddelen ernaartoe.

Kylian staat al op het strandje. 'Super, of niet?'

Ze duwen hun kano's het zand op. 'Schitterend!' zegt Kars. 'Maar hoe komt iedereen hier? Die doorgang is veel te smal. Daar kan nooit een vlot doorheen.'

'Balen!' Ze lopen over het eiland. 'Dit is nou echt een megaplek,' zegt Romeo. 'Ik zie het al helemaal voor me: fakkels, kuilen met grillroosters erop.'

'Dat kan dus allemaal niet,' zegt Kars.

'Nee,' valt Justin hem bij. 'Tenzij we met vliegtuigjes gaan.'

'Ja, als dat zou kunnen...'

Teleurgesteld staan ze daar. 'Shit, dit is echt een superplek.'

'Hou maar op,' zegt Stef. 'Het is echt heel wreed.'

'Sorry,' zegt Kylian. 'Ik heb niet aan een vlot gedacht. Dat past er inderdaad niet door. En jullie voelen niks voor zwemmen?'

'Zeker met al die spullen,' zegt Romeo. 'Nee jongens, *forget it.*'

'Nou ja,' zegt Isa, 'het is nooit weg dat we deze plek kennen.'

Ze stappen in hun kano.

'Moet je voelen hoe sterk de stroom hier is,' zegt Edgar.

'Ik laat me heerlijk voortduwen,' zegt Stef.

'Dat lijkt me niet verstandig,' zegt Kylian. 'Dan ga je de andere kant op.'

Maar Stef is eigenwijs en ja, hoor, daar gaat hij al. De stroom voert hem mee.

Ineens horen ze een schreeuw.

'Hij is omgeslagen,' lacht Romeo. 'Bekijk het maar!' roept hij.

'Jullie moeten komen!' schreeuwt Stef. Het klinkt alsof er echt iets bijzonders te zien is, daarom gaan ze hem achterna.

'Wat is dit nou weer voor actie?' vraagt Romeo.

'Kijk dan!' Stef wijst op een doorgang verderop in het meer. Zo te zien is die wel breed genoeg.

'Krijg nou wat? Onze Columbus!' Ze peddelen ernaartoe.

Nona is er als eerste. 'Hij komt uit op de rivier!' roept ze.

'Super!' Ze gooien van blijdschap hun peddel in de lucht. 'Hier kan ons vlot wel door.'

Kylian komt er nu ook aan.

'Machtig, jongens, dit is de doorgang die we nodig hebben.'

'We krijgen een big party!' roepen ze. 'We gaan een vlot bouwen.'

'Een megavlot!' roept Kars. 'Waar iedereen op kan!'

'*Great*!'

6

Na het eten hebben ze met z'n allen Sharon uitgezwaaid. Sharon was heel blij dat ze naar huis ging, maar ze moest toch huilen toen ze afscheid nam. Isa ook. Voorlopig zal ze Sharon niet meer zien. Ineens voelde ze weer dat ze verhuisd is.

Maar nu is het alweer over. Ze gaat zo naar de rivier. Daar heeft ze met Justin en Madelon en Axel afgesproken. Isa heeft expres haar zwarte T-shirt aangetrokken, daar voelt ze zich het stoerst in. Want dat moet ook wel met Madelon, die hangt de hele tijd om Justins nek. Dat is toch gek! Maar ze is niet van plan Madelon te laten merken dat ze jaloers is. Kom maar op! Madelon krijgt haar er niet zomaar onder. Isa moet lachen om zichzelf. Het lijkt wel of ze naar een bokswedstrijd gaat. Ze wil net vertrekken als Annabel gillend haar tent in stormt. Ze neemt een sprong en duikt op Isa's luchtbed. Opgewonden trappelt ze met haar benen in de lucht.

'Wat heb je?' lacht Isa.

Annabel trappelt maar door. 'Ik ben zo happy!'

Isa grijpt haar benen vast. 'Vertel op, ik wil meegenieten.'

Annabel gaat rechtop zitten. 'We hebben gezoend...'

'Geen grapjes,' zegt Isa. 'Waarom ben jij zo blij?'

'Het is waar, ik heb met Kars gezoend.'

'Met Kars? In je dromen zeker,' lacht Isa.

'Nee, echt. Het gebeurde ineens.'

Isa ziet dat Annabel het meent.

'Ik moet hier even van bijkomen. Je bedoelt echt gezoend?'

'Als dat geen zoenen was!' Annabel kijkt er hemels bij.

Nu dringt het tot Isa door. Haar broer heeft met Annabel gezoend. 'Te gek!' En ze omhelst haar vriendin.

'Waar was het? Nou wil ik ook alles weten!'

'Bij de oprit van de camping, nadat we Sharon hadden uitgezwaaid. Iedereen ging weg, alleen Kars en ik stonden er nog en ineens zoenden we.'

'En nu?' vraagt Isa.

'Ze gaan vanavond naar het dorp, Kars vroeg of ik meeging.'

'En toen zei jij zeker dat je vroeg naar bed wilde.'

Annabel slaat een arm om haar vriendin heen. 'Weet je dat ik het zelf niet kan geloven? Ik ben alleen vergeten te zeggen dat ik hier geen fiets heb, maar dat hoort hij zo wel.'

'Je mag mijn fiets wel lenen,' zegt Isa.

'Mooi niet,' grinnikt Annabel. 'Ik ga lekker bij Kars achterop. Zie je me zitten, heerlijk tegen hem aan met mijn armen om hem heen? Dat we hebben gezoend!' begint Annabel weer. 'Ik heb het zo vaak gedroomd.'

'Was het net als in je dromen?' vraagt Isa.

'Het was nog fijner, ik was in een andere wereld. En het leek heel lang te duren, wel een eeuw. Ik ga Sharon een sms'je sturen, ze moet het weten. Dan kan ze vanavond aan me denken. Waar is mijn mobiel?' Annabel voelt in haar zakken. 'Ik weet het al, hij ligt nog in mijn tent.' En ze rent Isa's tent uit.

Isa is blij voor Annabel. Hoe lang is ze al niet verliefd op haar broer? Als ze op haar horloge kijkt schrikt ze. Is het al zo laat? Ze mag wel opschieten, anders is die fles Passoa al leeg als ze komt.

Isa loopt langs de kuil op de camping. Oma leest de kinderen voor. Wat een schattig gezicht is dat. Ze zitten heel geboeid te luisteren. Dat komt omdat oma zo prachtig kan voorlezen. Ze maakt er heel grappige gebaren bij, de kinderen schateren het uit.

Isa ziet het al van verre, Madelon heeft een heel klein topje aan. Ze ligt half op haar zij in het gras, recht tegenover Justin zodat hij haar borsten goed kan zien. Nou ja, je doet maar, denkt Isa. Je hoeft heus niet te denken dat je tussen Justin en mij kunt komen. Alsof het allemaal heel normaal is loopt ze naar hen toe.

'Daar is je kippie!' Axel tikt met zijn glas tegen Justins glas. 'Op alle chickies!'

Isa kan merken dat ze al wat op hebben, ze zijn heel uitbundig.
'Het is heerlijk,' zegt Justin. 'Proef maar.'
Isa neemt een slok. Ze ziet dat Madelon haar bekijkt. Die
hoopt natuurlijk dat ze het met een vies gezicht uitspuugt,
maar zo stom is ze niet. 'Hmmm...' Het kost haar niet eens
moeite, want het smaakt lekker zoet.
'Dan krijg jij ook een glas.' Axel doet er eerst jus d'orange in
en dan een scheut Passoa.
'We gaan vanavond lekker dronken worden,' zegt Madelon.
'Daar heb ik nou zin in, jullie ook?' Het valt Isa op dat ze alleen maar naar de jongens kijkt.
'Voor mij is het niks bijzonders om dronken te zijn.' Axel
neemt een slok. 'Ik sta zowat elk weekend op mijn kop. Laatst
waren we uit met een cluppie, en zat dat ik was! Ik weet echt
niet meer hoe ik ben thuisgekomen. Ik lag ineens in mijn nest.
En kotsen! Dat is wel wat minder, maar ik had ook heel wat
op, hoor. Jij houdt er zeker ook wel van?' Axel kijkt Madelon
aan.
'Het gaat jou niks aan waar ik van hou,' grinnikt Madelon.
'En jou ook niet.' Ze kietelt Justin onder zijn voet.
'Hé, *mister*.' Axel kijkt in Justins glas. 'Drink eens door, ik sta
allang droog.' En hij schenkt hen bij.
Wat een tempo! Isa kan het echt niet bijhouden. Ze voelt wel
dat ze niet gewend is aan sterkedrank. Ze neemt wel eens een
Breezertje en dat gaat altijd goed. Maar dit is anders, veel ster-
ker. Moet je ook zien hoeveel Passoa Axel erin doet.
'Doe jij maar rustig,' zegt Axel. 'Jij bent nog een puppy.'
'Hoezo?' Isa wordt kwaad. 'Ik ga al naar de brugklas, hoor.'
Voor het eerst die avond kijkt Madelon haar aan. 'Ga jij echt
naar de brugklas? Ik dacht dat je nog op de basisschool zat.'
Ze kijkt naar Isa's borsten.
Isa wou dat Justin zijn mond opendeed, hij kan toch wel één
keer voor haar opkomen? Maar hij zegt niks. Ze merkt wel
dat hij zich ongemakkelijk voelt.
'Lekker spul, hoor,' praat hij er gauw overheen. 'Die fles is zo
leeg.'

'Haha, dat dacht jij,' zegt Axel. 'Dan vertel je het niet na, mannetje. Dat spul is sterk!'

Het begint al een beetje te schemeren. Ze zijn de enigen die bij de rivier zitten.

'Als het straks donker wordt gaan we naakt zwemmen,' zegt Madelon.

Dat mocht je willen, denkt Isa. En dan mij zeker uitlachen omdat ik nog geen borsten heb.

'Nou,' zegt Axel, 'dat sla ik niet af.' Lachend kijkt hij naar Madelons borsten. Isa merkt wel dat Justin ook aangeschoten is. Hij kan alleen nog maar lachen.

'Dat moeten we wel een eindje buiten de camping doen,' zegt Madelon. 'Mijn moeder gaat me straks vast zoeken, als ze me hier vindt, moet ik mee.'

'Heb jij ook al zo'n bezorgde moeder,' lacht Justin. 'Die van mij is ook altijd ongerust.'

'Moet je kijken.' Axel zet zijn glas aan zijn mond en drinkt het in één teug leeg. 'Volleerd of niet? Hé maestro, nou jij.'

Als Justin zijn glas ook in één keer leeg krijgt, beginnen ze te klappen. Isa klapt maar mee, maar eigenlijk vindt ze het helemaal niet stoer. Het ergert haar dat Justin zo tegen Axel opkijkt.

'Ik moet pissen.' Justin gaat een eindje verderop tegen een boom plassen. Hij waggelt nog niet, maar recht lopen kan hij ook niet meer.

Isa verveelt zich. Ze hebben het nergens over. Er wordt alleen nog maar gelachen en omdat zij niet dronken is, kan ze de lol er niet van inzien. Justin is het ergst, die ligt voortdurend slap van de lach. Hij stikt er bijna in en rolt om. Als hij nou nog tegen haar aan viel had ze het niet zo erg gevonden, maar hij valt tegen Madelon aan.

'Ja, zo wil ik ook wel omvallen.' En Axel valt tegen Madelons andere borst. 'Hmmm, lekker stootkussentje, zeg.'

Isa zit daar maar, ze weet niet waar ze moet kijken.

'We gaan feesten,' zegt Axel. 'Kom op, we gaan een plek voor ons feestje zoeken.'

Lachend komen ze overeind.

Nu heeft Isa er genoeg van. 'Ik heb met Annabel afgesproken,' zegt ze.

'Geeft niks hoor, meid,' zegt Axel. 'Als het donker wordt moeten de kippies op stok, waar of niet?'

'Helemaal waar,' zegt Madelon terwijl ze slap ligt. 'En ze moeten ook graantjes pikken. Ja, ze moeten altijd pikken... Hahaha...'

Isa vindt het nog het ergst dat Justin hard meelacht.

Hij lijkt zich van geen kwaad bewust. 'Zal ik je even thuisbrengen?' Hij slaat een arm om Isa, maar het geeft haar helemaal geen fijn gevoel.

'Nee, mister,' zegt Axel, 'jij blijft hier, bij ons. Dat kippie van jou redt zich wel.'

Isa geeft Justin een kus. 'Tot morgen.'

'Als we morgen nog meemaken,' lacht Axel. 'Als we niet in de rivier zijn verzopen, want we gaan nog wel naakt zwemmen, hoor.'

'Veel plezier dan.' Isa loopt weg. Ze voelt zich eenzaam. Ze kon helemaal niet merken dat Justin haar vriendje is. En wat moet hij daar nou de halve nacht met die twee? Hij is nu al hartstikke dronken. Ze kan zich nog net goed houden, maar zodra ze in haar tent is, moet ze huilen. Ze vertrouwt het gewoon niet, dat is het. Ze wou dat Annabel terug was, maar die is met Kars en zijn vrienden naar het dorp. Die zijn tenminste wel samen.

Isa ligt op Annabel te wachten als ze een sms'je krijgt. 'We hebben weer gezoend, ik spreek je zo, Annabel.'

Daar staat Isa's hoofd helemaal niet naar. Ze gaat slapen. 'Ik heb hoofdpijn,' sms't ze terug. 'Ik ga naar bed.' Ze pakt haar toilettas en loopt naar het badhok. Ze hoort Justin en de anderen lachen. Niet luisteren, zegt ze tegen zichzelf, maar het gelach overstemt alles. Ze heeft nog nooit zo snel haar tanden gepoetst. Eenmaal in haar tent kruipt ze meteen in haar slaapzak. In haar hoofd klinkt nog steeds het gelach. Hoe ver ze haar slaapzak ook over haar oren trekt, het gelach in haar hoofd blijft.

Axel slaat Justin op zijn schouder. 'Ik vind jou heel tof, echt heel tof, maar je bent wel helemaal crazy. Wist je dat? Wist je dat je hartstikke gestoord bent?'
'Hoezo?' vraagt Justin.
'Dat je verkering hebt genomen, dat snap ik niet. Wie neemt er nou verkering? Ik snap het echt niet... Waarom in godsnaam?'
'Gewoon,' zegt Justin. 'Verliefd, hè?'
'Ik ben ook wel eens verliefd.' Axel zwaait zijn glas heen en weer. 'Maar dan hoef je toch nog geen verkering te nemen? Wat moet je met al dat vaste gedoe. Gadverdamme, je moet feesten, man. Nee, hoor, hij neemt verkering. Niks feesten. Weet je wat jij moet? Naar een psychiater. Dat moet je. Ik zal meteen bellen.' En hij toetst zogenaamd zijn mobiel in. 'Hallo dokter, kunt u even komen, een spoedgeval. Dank u. Meiden zijn niet om verkering mee te nemen,' zegt Axel lallend. 'Weet je waarvoor meiden zijn? Om lekker mee te zoenen en *that's it*. Hahaha...'
Justin kijkt naar Madelon, die lacht zich slap.
'Ik hoef ook geen verkering, hoor,' zegt ze. 'Lekker zoenen, ja, dat is goed en dan weer ophoepelen.'
'Dit spul is veel lekkerder dan dat kippie van jou,' zegt Axel. 'Hier word je tenminste weer normaal van. Dan denk je niet meer aan rare dingen als verkering. Gewoon deleten, dat woord. Want hoe vind je Madelon?'
Justin moet lachen.
'Nee, serieus, nou wil ik het weten ook. Je hebt de hele tijd naar haar tieten zitten loeren. Je zou er best even aan willen voelen, zeg eerlijk?'
Justin begint schaapachtig te lachen.

'Dat had je niet gedacht, hè? Dat ik je doorhad? Die hele ver-kering is grote waanzin, geef het nou maar toe. Wij gaan van-nacht gewoon lol maken met z'n drietjes. Wij gaan feesten!'
'Feesten...' lacht Justin. 'Ik moet alweer pissen.' Hij staat op en waggelt naar de boom. Als hij weer neerploft, slaat Made-lon een arm om hem heen.
'Ik heb zin om te kussen. Kussen is toch lekker?'
'Hè hè,' zegt Axel als Justin knikt. 'Nou word je weer nor-maal. We kunnen de psychiater afbellen. En geen gezeur meer over dat kippie, gewoon lekker zoenen. Je moet genieten, man.'
Madelon trekt Justin naar zich toe en drukt haar lippen op zijn mond.
Justins mond gaat vanzelf open. Hij voelt een tong die naar Passoa smaakt, heerlijk en zacht. Justin kust, tot Axel hem wegduwt. 'Nou mag ik.'
Ineens beseft Justin wat hij heeft gedaan. Hij heeft Madelon gekust. Geschrokken kijkt hij naar Axel en Madelon, naar de twee hoofden die wild heen en weer bewegen. Ik heb met Madelon gezoend, denkt hij. Struikelend komt hij overeind. Ik moet weg... Ik moet weg... En terwijl Madelon en Axel kussend over de grond rollen, wankelt Justin in de richting van zijn tent.

7

Brian loopt over de camping. Iedereen slaapt nog. Anders is hij nooit zo vroeg op pad, maar hij gaat naar de grot. Als zijn tekening af is, wil hij meteen door naar de stad. Hij heeft een heel programma, want hij wil ook naar de bibliotheek in het museum.

Gisteravond heeft hij het zijn moeder al verteld: morgenochtend ben ik heel vroeg weg. Anders schrikt ze zich dood als ze wakker wordt. Ze bood aan hem naar de stad te brengen, maar dat wil hij niet. Dan moet ze weer wachten tot hij klaar is, en hij wil net zo lang in het museum blijven als hij zelf wil. De komende tijd zal hij heel wat uurtjes daar doorbrengen. Maar dat heeft hij er wel voor over. Stel je voor dat hij echt een heel bijzondere ontdekking heeft gedaan. Dan komt zijn naam vast in de boeken. Misschien noemen ze de grot wel naar hem. Dat zou helemaal super zijn. Ook voor later, als hij archeoloog is. En dan zullen ze op school ook trots op hem zijn. Dan is hij niet langer het losertje dat nog niet met een meid heeft gezoend, maar de ontdekker van een beroemde muurschildering. Brian staat voor de rots. In gedachten ziet hij het al staan, met grote letters: BRIAN HAVERTONG. Hij moet er zelf om lachen. Laat hij eerst nou maar de tekening afmaken.

Brian is niet de enige die zo vroeg wakker is. Isa rekt zich ook uit.

Het verbaast haar dat ze toch nog in slaap is gevallen. Het is maar goed, want ze voelt zich nu een stuk beter. Wat was ze gisteravond opgefokt toen ze in haar tent lag. Gelukkig hebben ze er niks van gemerkt. Als ze niet weg was gegaan had ze zich vast belachelijk gemaakt. Wat was er nou helemaal aan de hand? Ze weet toch dat ze Justin kan vertrouwen. Mag hij ook eens lekker dronken worden? Hij heeft vakantie, hoor!

Dat hij nou even tegen Madelon aan viel, zo erg is dat toch niet? Ze moet ophouden met haar jaloezie.

Isa pakt haar rugtas en gaat douchen. Als ze over de camping loopt ziet ze Justins tent. Die is nog dicht. Justin zal wel een vette kater hebben. Voorlopig zal ze hem wel niet zien. Ze loopt neuriënd over het veldje. Gisteravond had ze niet gedacht dat ze vandaag zo'n goeie bui zou hebben. Het komt door haar droom. In haar droom zat Madelon achter Justin aan, maar het interesseerde hem helemaal niet. Onder Madelons neus kuste hij haar. En dromen vertellen de waarheid, dus... Geen reden voor paniek.

Ze heeft toch zo'n zin in deze dag. Ze gaan aan het vlot beginnen. Dat wordt vast super!

Gelukkig is het nog niet zo druk in het washok. Er is alleen een moeder met twee kleintjes. Soms moet ze heel lang wachten voor er een douche vrij is. De komende winter, als het niet zo druk is, maakt Ad er een paar bij. Ze zal blij zijn als de douche in hun eigen huis klaar is.

Als Isa zich heeft aangekleed loopt ze het huis in. Isa hoort haar moeder in de gang al praten. Zo te horen zijn oma en Ad ook al op. Als ze de kamer in komt staan ze met z'n drietjes gebogen over een blaadje uit een schrift. Het schijnt iets belangrijks te zijn want ze horen haar niet eens binnenkomen.

'Dit zat tussen het geld,' hoort ze Ad zeggen. 'Er staan aantekeningen op voor de speurtocht.'

'Aantekeningen voor de speurtocht?' zegt oma. 'Maar dan is het van Jules. Die is met de speurtocht bezig. Laat eens kijken. Ja, hoor, dat is Jules' handschrift en hier staan een paar Franse woorden.'

Isa weet niet wat ze hoort. Heeft Jules het geld gestolen? Logisch dat hij spijt had en het heeft teruggelegd. Moet je zien hoe lief haar ouders Frodo en hem hebben opgevangen na het ongeluk. Als dank besteelt hij hen. Dit had ze nooit van hem gedacht. Ze draait zich om en rent naar Kars' tent.

'Wakker worden!' roept ze en ze ritst zijn tent open.

'Wat moet je?' Kars kijkt haar slaperig aan. 'Dit is verboden gebied voor jou, zusje.'

'Ik weet wie het geld heeft gepikt.' Isa gaat op zijn luchtbed zitten.

'Nee, hè?' kreunt Kars. 'Niet weer. Ik ben nog niet eens bijgekomen van mijn laatste blooper en jij begint alweer.'

'Maar dit keer is het zeker, Ad heeft het bewijs. Er zat een papiertje tussen het geld met aantekeningen voor de speurtocht. Van Jules.'

'Dat slaat toch nergens op,' zegt Kars.

'Sssttt..' Isa legt haar vinger op haar mond. 'Niet zo hard, niet iedereen hoeft het te horen.'

'Sorry, hoor.' Kars kruipt uit zijn slaapzak en zoekt zijn toiletspullen bij elkaar. 'Ik doe er niet meer aan.'

'Maar het is nu bewezen!'

'Wat nou bewezen?' roept Kars. 'Alleen maar door dat stomme papiertje? Nee, zusje, er is nog helemaal niks bewezen. Iemand heeft het er misschien expres tussen gestopt om Jules verdacht te maken.'

Daar had Isa nog niet aan gedacht. 'Wat goed van jou, dan moeten we dat uitzoeken.'

'Ik bemoei me nergens meer mee.' Kars kruipt de tent uit.

'Dus je laat mij in de steek?'

'Helemaal niet,' zegt Kars. 'Laat de politie het maar uitzoeken.'

'Wat moet de politie uitzoeken?' vraagt Romeo die samen met Stef op weg is naar het washok.

'Ach, niks,' zegt Kars. 'Allemaal onzin.'

'Niks onzin,' zegt Romeo. 'Het gaat over het geld. Zijn jullie de dader soms op het spoor?'

'Zoiets,' zegt Kars.

'Ik mag het toch wel weten?'

'Ja, dat vind ik ook,' zegt Stef. 'Als iemand recht op informatie heeft is Romeo het wel. Hij is zelf slachtoffer geweest.'

'Oké dan,' zegt Kars. 'Er zat een briefje tussen dat geld met

Jules' aantekeningen erop. Iemand heeft hem erbij willen lappen.'

'Dat je daar mij niet van verdenkt,' grinnikt Romeo. 'Ik zei deze week nog dat ik Jules zo tof vond.'

'Juist,' zegt Kars. 'Daarom heb ik de politie ook op je dak gestuurd. Waarom moest jij Jules ineens de hemel in prijzen?'

'Pas op, hoor,' lacht Romeo. 'Je begint niet weer.'

'Hij kijkt wel uit,' lacht Stef. 'Dan kan-ie weer onze tent opzetten.'

Lachend lopen ze met z'n drietjes naar het washok.

Isa kijkt hen na. Ja, maak er maar een lolletje van, denkt ze, maar iemand moet het gedaan hebben.

Oma had beloofd chocoladecroissantjes te bakken, daarom zitten Edgar en Nona ook aan het ontbijt. Ad komt ook binnen.

'Jij hebt geroken dat oma iets lekkers heeft gemaakt.' Isa houdt haar vader de schaal voor.

'Nee, dank je,' zegt Ad. 'Ik heb al ontbeten. Het komt goed uit dat jullie er allemaal zijn. Ik wil even iets bespreken.'

'Justin is er niet,' zegt Kars.

'En Brian ook niet,' zegt Nona.

'Dan spreek ik die wel apart. Tussen het geld dat is teruggevonden lag dit blaadje met aantekeningen van Jules. Het ligt voor de hand dat ik Jules ga verdenken. Hij kan het gedaan hebben, maar misschien heeft iemand het briefje gebruikt om Jules verdacht te maken. Begrijp me goed, ik ben blij dat het geld terug is, maar ik wil toch weten wie dit heeft gedaan. We moeten elkaar hier wel kunnen vertrouwen, dat zullen jullie toch met me eens zijn? Ik geef de dader de gelegenheid zich te melden. Ik beloof dat het tussen ons blijft. Ik ben de hele dag op mijn kantoor. Maar is er om vier uur nog niemand geweest, dan schakel ik de politie in. Is dat duidelijk?'

'Ja, daar is geen speld tussen te krijgen,' zegt Romeo.

Als Ad weg is hangt er een beklemmende sfeer. Ze vragen zich allemaal af wie er naar het kantoortje van Ad gaat.

Jules kijkt stilletjes voor zich uit. Zijn croissant ligt nog on-aangeroerd op zijn bord. Iedereen snapt dat hij geen trek heeft.

'Ik zou ook niks lusten als iemand mij erin had willen luizen,' zegt Romeo. Maar dat is niet wat Jules dwarszit. Het is de po-litie. Als de politie het gaat uitzoeken komen ze er misschien achter dat zijn vader het heeft gedaan. Iemand hoeft zich maar te herinneren dat zijn vader er op de avond van de disco was en hij zal worden verhoord. Als zijn vader dronken is krijgen ze het er zo uit. Het zit Jules helemaal niet lekker. Had hij het geld wel terug moeten leggen? Hij deed het om Romeo vrij te pleiten, maar daar waren ze anders ook wel achter gekomen. Als Romeo's vader het te horen had gekregen had hij Ad heus wel gebeld om te vertellen dat Romeo die camera van hem mocht kopen. Jules zucht. Hij moest weer zo nodig de redder uithangen, maar wel ten koste van zijn eigen vader. Stel je voor dat die straks vastzit dankzij hem, zijn eigen zoon. Daar komt hij toch nooit meer overheen. En Jules zelf ook niet.

Het is stil aan tafel. Iedereen zit maar zo'n beetje voor zich uit te kijken.

'Dit wordt een spannende dag,' zegt Kars.

'Dat kun je wel zeggen,' zegt Nona. 'Ik begrijp het niet. Als ik zoiets stoms had gedaan was ik allang opgestaan en naar Ad gelopen. Hij heeft toch gezegd dat hij er verder niks mee doet.'

'Nu kan het nog,' zegt Isa. 'Als de politie er straks achter komt wordt het anders.

'Goed dan.' Stef staat op.

'Wat...?' Het wordt stil. Heeft Stef het gedaan? Zelfs Romeo is onder de indruk. Vol spanning kijken ze hem na, maar bij de deur draait hij zich lachend om: 'Geintje.'

'Eikel!' Annabel is kwaad. 'Dit is echt niet leuk, hoor.'

'Nee, dat vind ik ook niet,' zegt Kars. 'Want één van ons heeft het wel gedaan, vergeet dat niet. En als die niet opschiet en te

lang treuzelt dan zit-ie vanavond niet hier maar op het politie-
bureau.'
Weer blijft het een tijdje stil. Ze schrikken zelfs op als Nona
haar lepeltje laat vallen.
'Hier word ik gek van.' Met een ruk schuift Edgar zijn stoel
naar achteren, staat op en loopt naar de deur. Met open mond
kijken ze hem na. Zou het Edgar zijn? De spanning is om te
snijden. Even hopen ze dat hij zich bij de deur ook omdraait,
maar hij loopt door. Ze staan allemaal op zonder iets te zeggen en kijken Edgar na die in de richting van Ads kantoortje
loopt. Ze zijn sprakeloos als ze hem naar binnen zien gaan.
Nona is de eerste die iets weet te zeggen. 'Nou weten we tenminste wie het is geweest.'
Ineens wordt Kars woedend. 'Wat een gluiperd. Hij liet er Romeo voor opdraaien.'
Jules weet dat Edgar het niet gedaan kan hebben, maar hij
praat gewoon met de anderen mee.
'Daar heb je 'm!' roept Nona.
Edgar komt naar buiten met een peddel in zijn hand.
'Shit!' Langzaam dringt het tot hen door wat Edgar daarbinnen moest.
'Wat een loser! Had hij dat niet even kunnen zeggen!' Maar ze
zien allemaal dat Kars heel opgelucht is dat Edgar het niet
heeft gedaan.

Het is al middag als Isa van Ad hoort dat nog steeds niemand
zich gemeld heeft. Ze stapt net het kantoortje uit als Justin
langskomt. Even is ze gespannen, maar hij kijkt heel lief naar
haar. 'Zullen we vanavond samen naar het dorp gaan, ik trakteer.'
'Wat ben je toch een scheetje.' Isa geeft hem blij een zoen.
'Ik zag Annabel net, ze wacht op je bij de rivier,' zegt Justin.
Isa knikt, ze hebben afgesproken. Annabel zit helemaal vol
van gisteravond. Ze moet het aan Isa vertellen.
'Je vindt het toch niet erg dat ik nu weg moet?'

'Nee, hoor,' lacht Justin. 'Meiden moeten altijd kletsen.' Hij pakt haar hand en drukt er een kus op.

Isa schaamt zich als ze doorloopt. Daar heeft ze zich nou zo druk om gemaakt. Zo heeft ze Justin nog niet naar Madelon zien kijken. Het is maar goed dat hij niet weet wat ze allemaal heeft gedacht, anders zou hij het misschien wel uitmaken. Nog een keer kijkt ze om. Wat ben je toch lief, denkt ze.

Annabel zwaait als ze Isa ziet. Ze is expres een eindje weg gaan zitten zodat niemand hen kan horen. Isa kijkt naar een paar jongetjes die vliegeren. Vroeger had ze ook een vlieger, maar het lukte haar nooit om die in de lucht te houden. De staart was te zwaar, of te licht. Maar deze vlieger staat prachtig in de lucht.

'Moet je zien,' zegt ze, omhoog wijzend.

'Heel mooi.' Annabel kijkt niet eens. 'Het was romantisch!' Ze kan niet wachten tot Isa zit en begint meteen te vertellen, hoe ze bij Kars achterop zat, met haar armen om zijn middel. En hoe hij onderweg ineens haar hand pakte. Ze slaat geen detail over, elke seconde krijgt Isa te horen. 'Het wordt nog veel romantischer, hoor,' zegt ze steeds.

'Nou komt het,' zegt ze als ze over de terugweg begint.

Isa moet lachen. Ze hoort de spanning in Annabels stem.

'Hij ging steeds langzamer rijden.' Annabel fluistert bijna. 'De jongens hadden heus wel in de gaten wat hij wilde, want ze trapten gewoon door. Weet je dat weggetje met al die struiken. Daar stopte hij en begon me te zoenen, in de schemering.' Annabel straalt. 'Ik ben nog nooit zo verliefd geweest. Mijn hart ging tekeer! En ik voelde overal kleine schokjes, door mijn hele lichaam. Jij denkt misschien dat het zomaar een kus was, maar dat was niet zo. Niet zoals toen met David op het schoolfeest. Dat was gewoon lekker, maar dit was veel meer. Echt waar, het was zo fijn! Ik was even helemaal in een andere wereld.'

Isa weet niet wat ze hoort. Gaat dit over Kars, haar broer die altijd tegen klef gedoe was? Ze vindt het wel fijn voor Annabel, maar ze gaat Kars er ook mooi mee plagen. Moest hij maar niet altijd zo'n grote mond hebben.

Annabel houdt niet op. 'Het was de mooiste avond van mijn leven. Ik heb zo'n zin om het Kars te zeggen. Ik wilde al een briefje in zijn tent leggen, maar ik durf het niet, wat vind jij?'

'Waarom zet je het niet op onze site,' zegt Isa. 'Daar is die voor.'

'Ja!' roept Annabel. Van blijdschap geeft ze Isa een zoen. 'Geniaal! Dat doe ik. Mijn sweet memory's, dan leest hij het ook.'

Ze trekt Isa overeind en loopt dansend naar de kantine. Maar ze moeten op hun beurt wachten. Twee Italiaanse meiden willen ook iets op de site zetten. Annabel praat maar door over hoe fijn het was.

'Wat staat er al veel op,' zegt ze, als ze eindelijk aan de beurt zijn.

'Moet je lezen, die is helemaal maf. 'Mijn sweet memory is dat ik gisteren met twee jongens tegelijk heb gezoend.'

'Nou nou,' zegt Isa. 'Kennen we die?'

'Ja,' zegt Annabel, 'Madelon.'

'Wat…' Isa kijkt op de site. Als ze Madelons naam ziet begint ze te trillen.

'Echt wat voor dat type,' zegt Annabel. 'Ik zoen veel liever met één jongen. Hier komt mijn sweet memory. Wat is er?' Ze kijkt Isa aan.

Isa is krijtwit. Ze kan bijna niet uit haar woorden komen. 'Die twee jongens… Ze hebben… alletwee met Madelon gezoend…'

'Wat kan jou dat nou schelen,' zegt Annabel. 'Ze doen maar.'

'Weet je wie dat waren?'

'Het zal die Axel wel zijn geweest,' zegt Annabel. 'Nou zij liever dan ik met die macho.'

'Die ander…' stamelt Isa.

Annabel leest de paniek in haar ogen. 'Die ander is…'

'Nee,' zegt Annabel. 'Doe nou niet zo gek. Het is Justin niet. Er zijn hier nog veel meer jongens.' Justin zat gisteravond toch gezellig met jou aan de Passoa?'

'En met Axel en Madelon. Ze dronken maar door. Ze hadden het over naakt zwemmen en toen ben ik naar mijn tent gegaan… En toen… En toen hebben ze gezoend…' Isa slaat haar handen voor haar gezicht. Haar hele wereld stort in. 'Wat gemeen!' Ze valt Annabel snikkend om de hals.

Annabel drukt haar tegen zich aan. 'Huil maar,' zegt ze. 'Dit is ook heel erg. Stel je voor dat Kars met een ander zou zoenen, dan zou ik ook…'

Isa zegt het wel twintig keer achter elkaar. 'Hij heeft met Madelon gezoend… Hij heeft met Madelon gezoend…' In paniek rent ze de kantine uit naar de rivier.

Isa staart maar over het water.

'Laten we naar jouw tent gaan,' zegt Annabel.

'Toen is het gebeurd,' zegt Isa. 'Toen ik in mijn tent lag te slapen. En ik had nog wel zo'n mooie droom.'

'Kom mee,' zegt Annabel. 'We kunnen hier niet de hele middag blijven zitten.'

'En hij heeft me niks verteld. Voordat ik hierheen ging zag ik hem nog, toen had hij het kunnen zeggen, maar hij zei niks, dat is nog het ergste. Als hij er spijt van had gehad had hij het gezegd.'

'Sta op!' Annabel trekt Isa omhoog. 'In de tent praten we verder, goed?'

Isa praat gewoon door. 'Hij heeft het zelf gedaan, helemaal uit zichzelf, hij heeft haar gekust. Hoe kon-ie? Hoe kon-ie zoiets doen?'

Annabel pakt Isa's hand. Ze hebben nog maar een paar stappen gelopen als Annabel geschrokken blijft staan. 'Daar heb je Justin! Wegwezen!' En ze trekt Isa mee de bosjes in. 'Ssst… Hij komt hier zo langs, dat moet wel want hij gaat kanoën.'

Zo wanhopig als Isa nog een seconde ervoor was, zo krachtig

is ze nu. 'Hij kanoën? Dat mocht-ie willen.' Ze stapt de bosjes uit en gaat midden op het pad staan.

Justin is verrast. Het is duidelijk dat hij niks vermoedt. 'Zal ik voor jou ook een peddel halen, dan gaan we samen kanoën.'

Isa kijkt hem woedend aan. 'Ik met jou zeker. Je gaat maar met Madelon, die vind je toch zo leuk? Was het fijn trouwens?'

'Wat bedoel je?' vraagt Justin. Maar hij krijgt het wel benauwd.

'Ga maar lekker kanoën,' zegt Isa. 'Dan kun je er nog over dromen.'

'Wat is er allemaal?' vraagt Justin.

'Ja, doe maar alsof je gek bent. Je had het me eerlijk moeten zeggen. Nu zeg je nog steeds niks, hè? En mij vanavond trakteren om je schuldgevoel af te kopen. Trakteer Madelon maar en vertel haar maar dat je zo vaak met haar mag zoenen als je wilt.'

Justin laat van schrik zijn peddel vallen. 'Heeft ze het je verteld?'

'Niet alleen mij, hoor,' zegt Isa. 'Iedereen weet het, de hele camping.'

Justin wordt bleek. 'Heeft ze dat echt gedaan?'

'Nee, dat heb jij gedaan, terwijl ik sliep. Ik dacht dat je verliefd op me was, ik...' Isa voelt dat ze moet huilen en rent weg.

'Wacht!' Justin komt haar achterna. 'Het is niet wat je denkt, ik kan het uitleggen.'

'Wat wil je uitleggen?' vraagt Isa. 'Dat ze je heeft gedwongen? Dat ze je tegen je zin heeft gezoend?'

Ze kijkt naar Justin. Hoe kan het? denkt ze. Ik was zo dol op je en jij hebt me bedrogen. Jij, op wie ik zo verliefd was, voor wie ik alles overhad...

'Hoor je me, ik kan het uitleggen.' Justin pakt Isa's arm.

'Blijf van me af!' Isa rukt zich los. 'Ik wil niet dat je me nog ooit aanraakt, onthoud dat goed, nooit meer. Het is uit!' En ze holt weg.

'Isa!' Justin staat daar. 'Dat kun je niet doen!'

'Je hoort haar toch,' zegt Annabel. 'Laat haar met rust.'

'Ik wil nooit meer iets met die loser te maken hebben.' Isa gaat op haar luchtbed zitten en pakt haar mobiel uit haar zak. 'Al zijn sms'jes ga ik wissen, allemaal!'

Daarna pakt ze een kaart die ze van Justin heeft gekregen en scheurt die doormidden. 'En hij gaat ook uit mijn vrienden-boekje.' Ze bladert het door en rukt de bladzij die Justin heeft beschreven eruit en propt 'm in elkaar.

'En dat schijnheilige hoofd hoef ik ook niet meer te zien.' Ze haalt zijn foto onder haar kussen vandaan en scheurt 'm in stukken.

Als ze klaar is kijkt ze naar de snippers op de grond. En dan begint ze weer te huilen. 'Alles is weg... Er is niks meer van ons over... Helemaal niks meer. *Justin en Isa forever*, weet je nog? Ik wil niet meer dat het vakantie is...' snikt ze.

'De vakantie is zo voorbij,' zegt Annabel.

'Nee, ik wil ook niet dat-ie voorbij is. Ik wil helemaal niks meer, nooit meer. Wat moet ik nou?' Ze slaat haar handen voor haar gezicht.

'Rustig maar,' zegt Annabel. 'Het komt wel goed. Je moet leuke dingen doen, dat helpt, dan vergeet je hem zo.'

'Ik wil hier niet meer zijn,' snikt Isa. 'Ik wil met jou naar Spanje. Ja, Annabel, alsjeblieft, laten we naar jouw ouders in Spanje gaan. Ik wil Justin vergeten. Oma wil ons wel brengen, of we gaan samen met de trein, goed?' Ze kijkt Annabel aan. Even blijft het stil. 'Je wilt niet, hè? Je wilt hier blijven. Je wilt niet bij Kars vandaan.'

Annabel slaat haar ogen neer.

Het is maar goed dat er een big party komt, dan hebben ze tenminste iets te doen. Anders denken ze de hele dag aan het ultimatum van Ad.

Ze hebben een plek uitgekozen waar ze het vlot gaan bouwen, een eindje van de camping vandaan.

Echt Romeo weer. Hij heeft een groot bord opgehangen: SCHEEPSWERF HET ZINKENDE SCHIP staat erop. Samen met Stef zaagt hij boomstammen die achter de kantine lagen.

'Mogen wij die hebben voor ons vlot?' vroeg Kars zijn vader. 'Ze zijn zo mooi dun.'

'Eigenlijk wil ik het hout deze winter opstoken in de open haard,' zei Ad. 'Maar vooruit, het is voor een goed doel. En ik moet nog meer kappen. Op sommige plekken staan de bomen elkaar te verdringen.'

'Wat denk je van deze lengte?' Stef houdt de zaag erbij.

'Perfect.' Romeo steekt zijn duim op.

Als ze klaar zijn tillen ze de boomstam naar hun plek. Het is best zwaar werk. Af en toe moeten ze even uitpuffen.

'Hier maar,' zegt Stef.

'Nee,' zegt Romeo. 'Veel dichter bij het water, dat vlot wordt hartstikke zwaar, dan krijgen we het nooit meer van zijn plaats.'

'Iets meer het land op,' zegt Stef. 'Anders moeten we in het water staan als we eraan werken.'

Zodra ze weer een boom hebben gezaagd leggen ze die ernaast. Het is nog een hele klus. Gelukkig komt Justin hen helpen.

Brian fietst fluitend de camping op. In de bibliotheek van het museum heeft hij een goeie vondst gedaan. Hij is er nog niet, maar hij weet nou tenminste wel waar hij moet zoeken.

Nona staat hem al op te wachten. 'Goed dat je er bent.' En ze vertelt Brian wat ze die ochtend van Ad hebben gehoord. Brians humeur slaat meteen om.

'Wie heeft het dan gedaan?' Hij wordt nu al kwaad bij de gedachte dat iemand Jules erin wilde luizen.

'Dat weten we nog niet,' zegt Nona. 'Om vier uur loopt het ultimatum af.'

Ze neemt Brian mee naar de jongens.

Stef duwt hem meteen een zaag in zijn handen. 'Dit zwoegen

aan een prehistorisch vaartuig moet jou aanspreken. Deze bomen moeten nog worden ingekort.'

Brian begint meteen.

'Wauw...!' roepen Kars en Edgar die net uit het dorp komen. 'Dat ziet er goed uit!'

'Ja, hier is hard gewerkt,' zegt Romeo.

'Kijk eens wat wij hebben,' zegt Kars.

'Dat is pas touw!' zegt Justin.

'Dat mag ook wel,' zegt Romeo. 'Hoe lang zijn jullie weg geweest?'

'Een uurtje,' zegt Kars. 'Maar nou hebben we ook wat.'

'Zo,' zegt Kylian, die even komt kijken.

'Lekker groot vlot, hè?' zegt Romeo. 'Maar er moeten er een heleboel tegelijk op kunnen.'

'Het zal niet meevallen om dat vooruit te krijgen,' zegt Kylian. 'Vooral niet als je tegen de stroom op moet.'

'Daar zitten wij niet mee,' zegt Edgar. 'Romeo en Stef zijn onze schippers.'

'Breek het dan maar weer af,' zegt Nona. 'Dat krijgen die sukkels nooit vooruit.'

'Wat zeg jij...?' Romeo en Stef grijpen Nona vast en jonassen haar boven het water. 'Ene... tweeë...'

'Genade!' roept Nona. 'Jullie zijn superstoerlappen!'

'Dat klinkt beter.' En ze zetten haar neer.

'Waarom zetten jullie er geen motortje op,' zegt Kylian.

'Hallo,' zegt Kars. 'Weet je wel wat zo'n ding kost? Mijn pa ziet ons aankomen.'

Terwijl de anderen doorwerken zit Kylian te peinzen.

'Ik heb het,' zegt hij. 'Op de weg hierheen zag ik een scheepswerf, vlak bij de stad. Die hebben vast wel een oud motortje.'

'Super!' roepen ze. 'Maar wie zet het erop?'

'Dat kan jij, broer,' zegt Brian. 'Jij helpt al jaren in een garage.'

'Een auto is natuurlijk wel iets anders,' zegt Edgar. 'Maar ik denk wel dat ik het kan.'

'Dan zijn we er toch?' vraagt Kylian. 'En als je er niet uit komt, helpt Ad jullie wel.

'Laten we nu meteen naar die werf gaan,' zegt Kars. 'Hoe laat is het?'

'Kwart voor vier,' zegt Kylian.

Ze schrikken allemaal. Om vier uur is het ultimatum afgelopen. Misschien heeft iemand zich wel gemeld. Maar wie? Waarom is Annabel er niet? Ze zal toch niet... Stel je voor dat Annabel... Dat zou vreselijk zijn. Hij had nooit verwacht dat hij zo verliefd kon worden. Hij moet weten of ze het gedaan heeft. 'Ik ga naar de kantine.' Hij loopt weg.

De anderen lopen achter hem aan. Kars merkt wel dat hij niet de enige is die zich druk maakt. Romeo heeft ook geen rust om tot vier uur te wachten. Hij pakt een bal en schiet die naar Stef. Kars is opgelucht als hij Annabel naast Jules in de kantine ziet zitten. Wat ben je toch een prachtmeid, denkt hij. Als je met haar verkering hebt ben je toch beretrots? Maar vandaag vraagt hij geen verkering, op deze dag zit een smet. Voor de zoveelste keer kijkt hij op zijn horloge. Nog zes minuten en dan is het ultimatum afgelopen.

Iedereen houdt nu het kantoortje in de gaten. Als Ad naar buiten komt, stoppen de jongens met voetballen.

'Je bent te vroeg, pa,' zegt Kars. 'Je hebt nog vier minuten.'

'Vier minuten?' zegt Stef. 'Daar kan niet veel meer in gebeuren. Je kunt net zo goed nu meteen de politie bellen.'

Kars ziet dat Jules schrikt. Hij loopt op zijn krukken naar Ad. Het valt meteen stil.

'Ben ik nog op tijd?' vraagt Jules.

'Jij...?' vraagt Ad.

'Ja, ik,' zegt Jules. 'Ik heb het geld gestolen.'

Romeo laat van schrik de bal vallen en Nona, die een eindje achter Kars staat, geeft een gil.

Annabel holt naar Isa's tent. 'We weten het, we weten wie het gedaan heeft!'

'O,' zegt Isa afwezig.

'Jules,' zegt Annabel.

'Jules?' Isa is meteen terug op aarde. 'Echt waar? Hoe weet je dat?'

'Hij heeft het net aan Ad verteld,' zegt Annabel. 'Niemand had het meer verwacht, het was drie minuten voor vier. Je moet meekomen, Nona heeft je nodig. Ze is hartstikke in de war.'

Isa vergeet meteen haar eigen verdriet. Ze schiet haar tent uit en rent naar de kantine.

Iedereen probeert Nona te troosten.

'Wat erg voor je.' Isa slaat een arm om Nona's schouder.

'Wat denk je,' zegt Stef. 'Ze had verkering met hem.'

'Dat is ook afschuwelijk,' zegt Annabel. 'Dat je nog met hem hebt gezoend ook!'

Nona staat daar maar, spierwit, zonder iets te zeggen.

Brian is ook verslagen. De muurschildering is even uit zijn gedachten verdwenen.

'Ik kan het niet geloven,' zegt hij maar. 'Ik kan het niet geloven... Is het nou echt waar?'

'Mijn broertje weer,' zegt Edgar geïrriteerd. 'Hou nou eens op met dat gezeur of het echt waar is. Hij is niet ondervraagd, hoor, hij heeft zichzelf aangegeven.'

'Toch snap ik het niet,' zegt Brian. 'Het is niks voor Jules.'

'Dat dacht je,' zegt Romeo. 'Dat dachten we allemaal. Zo zie je maar hoe je je kunt vergissen. Niemand had gedacht dat achter dat lieve koppie een bedrieger zat. En Nona al helemaal niet.'

'Maar ik ken hem al jaren,' zegt Brian. 'Jij toch ook Nona?'

'Maak het haar nou niet nog moeilijker,' zegt Isa. 'Ze hadden verkering, hoor, ze was verliefd op hem. Dan word je wel even niet goed als je zoiets hoort.'

'Nou,' zegt Edgar. 'Die zullen we hier niet meer zien. Die kan zijn spullen pakken.'

'Wat is hier aan de hand?' vraagt Madelon die binnenkomt.

'Dat gaat je niks aan,' zegt Isa.

'Waarom zou zij het niet mogen weten?' En Edgar vertelt wat er is gebeurd.

Kars aait Frodo. 'Dan zien we jou ook niet meer.'

Als Ad binnenkomt is iedereen stil.

'Heb je Jules al weggestuurd?'

'Nee,' zegt Ad, 'dat kan niet. Die jongen heeft geen thuis. We kunnen hem niet zomaar wegsturen met een gebroken been. Wie moet er dan voor hem zorgen? Eerst moet hij beter zijn.'

'Je bedoelt dat hij gewoon hier blijft?' zegt Romeo.

Ad knikt.

'Is dat niet een beetje maf, pa?' vraagt Kars.

'Ik heb het er uitgebreid met oma en Hanna over gehad,' zegt Ad. 'Het is onverantwoord om hem te laten gaan.'

'Lekker,' zegt Madelon. 'Die hoort in een jeugdgevangenis, toch niet op een camping. Als de mensen dit horen loopt het hier leeg.'

'Dit hoeft niemand te weten,' zegt Ad. 'Jules heeft geld gestolen, maar hij is niet gevaarlijk. Ik wil jullie vragen het stil te houden.'

'Die Jules heeft honderden euro's gejat,' roept Madelon door de kantine als Axel binnenkomt.

'Mijn vader vroeg of je je mond wou houden.' Isa haat Madelon.

Edgar neemt het voor Madelon op. 'Axel is een vriend van haar, hoor.'

'Ja,' zegt Annabel. 'Zo meteen zet ze het nog op de site.'

'Waar is Jules nu?' vraagt Kars.

'In zijn tent, probeer maar zo gewoon mogelijk tegen hem te doen.' Ad krijgt een telefoontje en loopt naar buiten.

'Dat zal niet echt gezellig zijn, in zijn eentje in die tent,' zegt Kars. 'Mij ziet hij niet meer.'

'Mij ook niet.' De meesten zijn het met Kars eens.

'Maar mij wel,' zegt Brian.

'Ja, hoor, ga hem troosten, nou goed,' zegt Edgar.

'Bemoei je er niet mee, hij is mijn vriend. Ik laat hem niet zakken.' En Brian loopt de kantine uit.

'Wacht,' zegt Nona. 'Ik ga mee.'

8

Jules zit in zijn tent. Hij trilt over zijn hele lichaam. Het was veel moeilijker dan hij had gedacht. Hij moest zich inhouden, anders had hij het toch ineens gezegd: Ik heb het niet gedaan, mijn vader heeft het geld gestolen. Ik wilde alleen niet dat Romeo de schuld kreeg en toen heb ik het teruggelegd. Je hoeft niet teleurgesteld in me te zijn. Want dat vond hij het ergst, het gezicht van Ad. Hij had liever gehad dat Ad tegen hem tekeer was gegaan of hem een klap voor zijn kop had geven en hem daarna van de camping had getrapt. Maar Ad zat daar maar. Hij was zo geschokt door Jules' bekentenis dat hij de eerste minuten niks kon zeggen. Jules zag de teleurstelling in zijn ogen. Hij zat maar met zijn hoofd te schudden. 'Jij bent de laatste van wie ik dit had verwacht...' Na een tijdje keek hij Jules aan. 'Bedankt dat je zo dapper bent geweest om naar me toe te komen. Sorry, ik weet even niks te zeggen, ga maar naar je tent.'
'Moet ik dan niet weg?' vroeg Jules verbaasd.
'Dat gaat niet, jongen,' zei Ad. 'Je zult eerst beter moeten zijn. Zo kan ik je niet laten gaan.' Ad zat daar tegenover hem, zo verslagen heeft Jules hem nog nooit gezien. Had hij dit wel mogen doen? Jules denkt aan zijn moeder. 'Als je maar eerlijk bent,' zei ze altijd. 'Hoe moeilijk het ook is.' Hij pakt de foto van zijn moeder en kijkt ernaar. 'Ik kon papa toch niet aangeven, mam,' zegt hij zachtjes. 'Dat had jij toch ook niet gewild? Nee, toch?' Jules krijgt geen antwoord, dat vindt hij altijd het moeilijkst. Hij kan alles met zijn moeder bespreken, soms voelt hij zelfs dat ze bij hem is, maar het blijft altijd stil. Ze kan niks terugzeggen, nooit meer. Hij moet het zelf beslissen, hij moet zelf uitmaken of het goed is wat hij heeft gedaan. Het was ook niet gemakkelijk. De hele dag heeft hij erover nagedacht en toen is hij toch ineens naar Ad toe gegaan.

Jules denkt aan Pierre, de vorige eigenaar van de camping met wie hij zo goed bevriend was en die zoveel voor hem betekende. Zou hij tegen Pierre ook hebben gezegd dat hij het geld had gestolen? Jules weet zeker dat hij dat niet had gekund. Pierre zou hij het eerlijk hebben verteld, al was het nog zo eng. Maar die zou zijn vader ook nooit aangeven. Jules streelt Frodo. Hij moet ervan zuchten. Dit is nog maar het begin. Het moeilijkste komt nog. Want nu denkt iedereen dat hij een dief is. Ze zullen hem haten. Nona wil vast ook niks meer met hem te maken hebben. Je wordt bedankt, pa. Jules kijkt naar de krukken die naast hem staan. Had hij dat ongeluk maar nooit gekregen, dan had hij nu bij Pierre in Marseille gezeten. Dan was dit allemaal nooit gebeurd. Hij had Ad en de anderen niet hoeven teleurstellen en dan was er ook niets tussen Nona en hem geweest. Nu gaat hij haar alleen nog maar meer missen. Jules richt zich op. Lijkt het maar zo of komt er iemand het veld op? Als oma het maar niet is. Hij heeft haar nog niet gezien. Hij weet zeker dat ze een keer met hem komt praten. Daar ziet hij tegen op. Nona blijft tenminste weg, die is totaal op hem afgeknapt. Ze is heel erg geschrokken, want hij hoorde haar gil. Ooit gaat hij het haar vertellen, over een hele tijd, als ze zijn vader niet meer lastig kunnen vallen omdat hij... Omdat hij er dan nog veel slechter aan toe is dan nu. De laatste tijd denkt Jules daar steeds vaker aan. Als zijn vader zo doorgaat met drinken gaat het mis. Het is al mis, maar dan gaat het helemaal mis. Toen Jules laatst thuis die flessen zag staan, heeft hij het op internet opgezocht. Hij schrok heel erg. Nu weet hij dat er een dag komt dat zijn vaders hersens kapot zijn, dat hij Jules niet eens meer zal herkennen. En het ergste is nog dat hij daar niet eens meer ver vanaf zit. Dat was helemaal een schok. Misschien duurt het nog maar een paar jaar, misschien zelfs korter. Jules slikt zijn tranen weg. Kon hij zijn vader maar helpen, maar dat heeft hij al zo vaak geprobeerd. Na zijn moeders dood heeft hij er alles aan gedaan om zijn vader van de drank af te houden, maar hij moest het opgeven. Zijn

vader is niet meer te helpen. Frodo likt de tranen van Jules' gezicht. Jules drukt hem dicht tegen zich aan. 'Jou heb ik tenminste nog.'

Zie je wel, denkt Jules. Er komt echt iemand aan. De voetstappen komen steeds dichterbij en nu hoort hij ook een stem.
Hij laat Frodo van schrik los. Dat is Nona! Nona komt dus
wel naar hem toe. Dan moet ze wel heel kwaad zijn. Het liefst
zou hij wegrennen, maar dat kan niet. Het was zijn eigen be-
slissing om schuld te bekennen, dan moet hij nu ook flink zijn.
Ze mogen niet aan hem merken dat hij bang is. Hij gaat nog
rechterop zitten als ze in de voortent staan.

'Sorry,' begint Jules meteen. 'Ik snap dat jullie helemaal op me
zijn afgeknapt. Ik ben ook niet de vriend die jullie dachten dat
ik was. Ik ben hartstikke onbetrouwbaar, ik heb Ad en Hanna
bestolen terwijl ze mij wilden helpen. Ik walg van mezelf. Ik
heb zomaar dat geld van ze gepikt. Als ik jullie was ging ik nu
meteen weg, ik zou niks met zo'n gluiperd te maken willen
hebben.'

Brian en Nona waren op alles voorbereid. Dat Jules zichzelf
zou goedpraten. Dat hij zou zeggen dat hij op het feest niet
zichzelf was. Dat hij het in een vlaag van verstandsverbijstering had gedaan, maar dit hadden ze nooit verwacht.

'Heb je dan vaker gestolen?' vraagt Brian.

Jules slaat zijn ogen neer en schudt zijn hoofd.

'Nee dus,' zegt Brian.

'Waarom heb je het dan gedaan?' vraagt Nona.

'Waarom zijn jullie zo aardig tegen me?' zegt Jules. 'Ik ben een
schoft, dat heb je toch gehoord? Ik heb honderden euro's gejat
uit de kas van Ad. Ga nou maar. Ik begrijp het heus wel dat
jullie niks meer met mij te maken willen hebben.'

Als Nona hem maar blijft aankijken, voelt hij zich ongemakkelijk. 'Je wilt zeker zeggen dat het uit is. Je hebt groot gelijk.
Je verdient iets veel beters. Een jongen die eerlijk is. Wat heb je
nou van mij te verwachten? Niks toch? O, ik weet al waarom
je niet gaat,' zegt hij als Nona blijft staan. 'Wat stom van me,

93

je wilt je foto terug.' Hij had stilletjes gehoopt dat ze dat zou vergeten en hij de foto kon houden.

'Wat zeg je nou allemaal?' Nona is zelf ook in de war. 'Ik ben hier helemaal niet naartoe gekomen om het uit te maken en al helemaal niet om mijn foto terug te halen. Ik snap alleen niet waarom je het gedaan hebt.'

'Ik ook niet,' zegt Brian. 'Het klinkt misschien raar, maar ik kan het gewoon niet geloven. Het is niks voor jou. We kennen je al zo lang. Zoiets doe jij niet zomaar. Er moet iets heel belangrijks zijn waar je het geld voor nodig had.'

Hou op, denkt Jules. Houden jullie alsjeblieft op. Jullie moeten niet verder vragen. Dit is veel te moeilijk. Jullie zijn zo aardig. Hoe kan ik nou tegen jullie liegen als jullie zo aardig doen? Kon hij maar wegrennen, dat rotbeen ook!

'We willen alleen maar weten waarom je het gedaan hebt,' zegt Nona. 'Meer niet.'

Zie je wel, denkt Jules. Jullie vragen wél door. Het is veel te link. Zo meteen verspreek ik me nog. Jullie moeten weg, ik moet zorgen dat jullie kwaad op me worden, dan gaan jullie vanzelf.

'Ik ga geen vragen beantwoorden,' zegt hij. 'Het gaat jullie niks aan. Het gaat niemand iets aan, niemand mag het weten. Ik bedoel... ik bedoel: het gaat gewoon niemand iets aan.'

Brian en Nona schrikken. Zo heeft Jules nog nooit tegen hen gedaan. Brian ziet dat Nona bijna moet huilen.

'Heb je soms liever dat we weggaan?' vraagt Brian.

Jules wendt zijn gezicht af.

'Je kunt het toch wel zeggen?' dringt Brian aan.

Maar Jules houdt zijn lippen stijf op elkaar. Blijf hier, had hij willen zeggen. Natuurlijk moeten jullie niet weggaan. Ik kan jullie niet missen. En Nona helemaal niet. Blijf alsjeblieft bij me, het is al zo moeilijk. Hij zou tegen Nona aan willen kruipen en bij haar willen uithuilen, maar hij weet dat hij zijn geheim dan niet meer voor zich kan houden. En hij geeft geen antwoord.

'Kom maar,' zegt Nona tegen Brian. 'We gaan.'

Nog één keer kijkt ze om en dan ziet ze de blik in Jules' ogen. Die lieve blik, waarmee alleen Jules naar haar kan kijken. En ineens weet ze dat het niet klopt.

Nona zegt het meteen als ze buiten lopen: 'Er klopt iets niet.'

'Ik vind het ook vreemd,' zegt Brian. 'Hij wil ons gewoon weg hebben, het lijkt wel of hij iets verzwijgt.'

'Weet je wat ik nog het allergekst vind,' zegt Nona, 'ik ben niet eens kwaad op hem.'

'Ik ook niet.' En dat meent Brian. Hij heeft eerder medelijden met Jules. Hij vond het hartstikke moeilijk om hem daar in zijn eentje achter te laten, het liefst was hij bij hem gebleven. Hij zag er zo wanhopig uit. Bijna had hij een arm om Jules heen geslagen. De muurschildering kan hem ineens niks meer schelen. Als het maar weer goed komt tussen Jules en hem, dat vindt hij veel belangrijker. Hij zou er wel alles voor willen doen. Hij zou hem zo graag troosten. Dat gevoel heeft hij wel vaker bij Jules. Zouden andere jongens dat ook hebben? Hij vindt het altijd fijn om samen met Jules te zijn. Het maakt hem niet eens uit wat ze doen. Laatst hebben ze wel een uur op de steiger gezeten. Zomaar, ze zaten een beetje voor zich uit te staren. Niks voor hem, meestal heeft hij daar geen geduld voor. Met Edgar zou hij het nog geen vijf minuten uithouden, maar met Jules verveelt hij zich nooit. Is dat wel normaal? Vindt hij Jules niet veel te aardig...? Brian schrikt van zijn eigen gedachten.

'Waar denk je aan?'

Maar Brian is zo in gedachten verzonken dat hij Nona niet eens hoort.

'Hallo!' roept Nona vlak bij zijn oor. 'Ik vraag je wat?'

'Wat, eh... had je het tegen mij?' Brian komt van heel ver.

'Ik vroeg waar je aan dacht.'

'Aan Jules,' zegt Brian. 'Logisch toch?'

'Heel logisch,' zegt Nona. 'Ik denk ook de hele tijd aan hem. Ik ben nog steeds verliefd op hem. En jij?'

'Wat...? Of ik verliefd ben op Jules...? Natuurlijk niet,' zegt Brian fel. 'Hoe kom je daar nou bij?'

'Rustig maar,' lacht Nona. 'Dat bedoelde ik niet... Hahaha... jij verliefd op Jules... Ik bedoel dat jij ook nog steeds zijn vriend bent?'

'Ja,' zegt Brian. 'Dat ben ik zeker. En hij blijft ook mijn vriend.'

'Ik moet even iets doen,' zegt oma. 'Is er iemand die het van me over wil nemen?'

'Laat mij maar.' Isa vindt het wel prettig om achter de bar van de kantine te staan.

Dan vergeet ze haar verdriet tenminste even.

'Wie is er aan de beurt?' Ze kijkt naar het groepje kinderen dat zich voor de bar verdringt.

'Ik... Ik... Ikke...' Vijf kinderen leggen tegelijk geld neer.

'Ik was, gemenerik!'

'Au! Stommerd, je staat op mijn zere teen.' Een jongetje begint te huilen.

'Niet duwen, jullie komen allemaal aan de beurt.' Isa haalt drie zakjes chips en twee rollen drop uit de la. Als ze opkijkt ziet ze nog net Edgar en Madelon samen de kantine uit lopen. Een hele opluchting, Madelon is tenminste niet verliefd op Justin. Stel je voor dat die twee verkering zouden krijgen, onder haar neus. Dat zou ze dus echt niet hebben aangekund. De stommerd! Madelon heeft hem gewoon gebruikt. Dat zal ze met Stef ook doen. Ineens merkt Isa dat ze staat te suffen. 'Jij wilde ook chips, hè?' Ze pakt het geld aan.

'Ik ben er alweer.' Oma neemt het van haar over.

Isa loopt de kantine uit. Buiten botst ze bijna tegen Romeo en Stef op. 'Wat hoor ik,' zegt Romeo. 'Is het uit met Justin?'

Dus die weten het ook al, denkt Isa. Edgar begon er net ook over. Nog even en de hele camping weet dat hun verkering uit is. Dat heeft Madelon natuurlijk rondgebazuind. Elke keer als Isa aan haar denkt wordt ze woedend.

'Gedumpt, of heb je zelf het initiatief genomen?' vraagt Romeo.

Wat ben je toch een botterik, denkt Isa. Maar ze geeft hem toch antwoord, dan is ze ervan af: 'Ik heb het zelf uitgemaakt.' Ze bijt op haar lip. Telkens als iemand erover begint moet ze bijna huilen.

'Heel verstandig,' zegt Romeo. 'Je kent onze motto: Vrijheid blijheid. Helaas kunnen we je geen lid maken van onze felbegeerde singlesclub.'

'Nee,' zegt Stef. 'Onmogelijk. Je zult er zelf een moeten oprichten.'

'Hoe heet onze club, Stef?'

Stef galmt het over de camping. 'In vrijheid genieten van lekkere tieten!'

Een paar kleintjes die in het gras aan hun ijsjes likken proesten het uit. Isa vindt er niks aan. 'Haha, wat leuk, veel plezier.' En ze loopt door. Ze heeft nu echt geen zin in dat slappe gedoe van die twee. Wat nou vrijheid blijheid, ze heeft zich nog nooit zo verdrietig gevoeld. Maar daar snappen ze toch niks van. Isa kijkt Romeo en Stef na als ze met een peddel het kantoortje uit komen. Dat zal wat worden met die twee.

'Er is nog maar één kano!' roept Stef. 'Wat een business hier, hè. Nog even en je moet maanden van tevoren reserveren.'

Isa ziet dat Annabel eraan komt. Ze heeft haar bikini aangetrokken en haar badlaken onder haar arm. Ze komt haar vast halen om te gaan zwemmen, dat is tenminste lief. Maar Annabel vraagt helemaal niks.

'Ik kreeg net een sms'je van Sharon. Ze zijn al bij Parijs. Ik ga naar de rivier,' zegt ze stralend. 'Kars is er ook. We zijn steeds met elkaar, fijn, hè? Dat had ik nooit gedacht. Ik was een beetje bang dat hij alleen maar met me wou zoenen, maar dat is niet zo. Net pakte hij even mijn hand. En weet je wat hij ook deed?'

Hou op, denkt Isa, hier zit ik dus echt niet op te wachten. Annabel heeft 't met geen woord meer over Isa en Justin. Ze heeft

97

niet eens door dat Isa maar met een half oor luistert.

'Fijn, hè, misschien worden we nog familie.' En weg is ze. Isa ziet dat twee Franse jongens naar Annabel fluiten, maar Annabel merkt het niet eens.

Isa heeft zin om oma over Justin te vertellen. Ze kijkt door de ruit de kantine in, maar oma heeft het nog veel te druk. Straks misschien. Naar haar moeder hoeft ze ook niet te gaan, die is de wc's aan het schoonmaken. Niet echt een goed moment om bij haar uit te gaan huilen. Ze hangt bij de kantine rond en kijkt af en toe naar binnen. Ze heeft ook pech dat Sharon naar huis is. De komende tijd zal ze wel veel met Nona optrekken, die begrijpt tenminste hoe ze zich voelt. En zij begrijpt Nona. Eigenlijk zitten ze in hetzelfde schuitje. Nona is het nu aan het uitmaken. Ze zal straks ook een behoorlijke dip hebben, net als zij. Dat doen jongens je maar gewoon aan, ze denken nooit na. Nona moet ook maar doen wat zij heeft gedaan, alle sms'jes van Jules wissen. Ze moet alles dumpen wat haar aan hem herinnert. Misschien kunnen ze er een soort ritueeltje van maken en samen al hun aandenkens verbranden. Zelf heeft ze nog een doos snippers in de tent, die kan er zo bij. Isa kijkt door de ruit. De rij is weg. Ze wil de kantine in gaan als Nona eraan komt. Isa rent naar haar toe en slaat een arm om Nona heen. 'Gaat het wel? Je voelt je zeker belabberd.'

Nona haalt haar schouders op. 'Het is zo verwarrend. Ik vraag me steeds maar af waarom hij het gedaan heeft. Er moet iets achter zitten, dat denkt Brian ook.'

'Daar moet je je niet mee bezighouden,' zegt Isa.

'Ik wil gewoon weten waarom,' zegt Nona.

'Dat heb ik me ook afgevraagd. Waarom zoent Justin een ander? Maar daar kom je toch nooit achter. Het zijn gewoon foute jongens.'

'Jules is geen foute jongen,' zegt Nona. 'Dat weet je zelf ook wel.'

'Ik noem het fout dat je honderden euro's pikt,' zegt Isa.

'Dat deed hij niet zomaar.'

Laat maar, denkt Isa. Het is te moeilijk voor Nona om toe te geven dat ze met een dief heeft gezoend. 'Nou ja, misschien komt het ooit goed met die jongens, maar dat merken we dan wel.'

Nona geeft geen antwoord. Het is net of alles wat Isa zegt langs haar heen gaat. Ze staan daar maar, allebei verzonken in hun eigen gedachten.

'Niet zo somber, meisjes,' zegt een man die met twee kleutertjes langskomt. 'Het is prachtig weer.'

Isa kijkt hem kwaad na. Dat kan haar soms zo irriteren van Timboektoe: iedereen bemoeit zich maar overal mee.

'Ik heb een goed idee,' zegt Isa als ze doorlopen. 'Zullen we samen alle foto's van onze exen verbranden?'

'Ex?' zegt Nona. 'Jules is geen ex.'

'Jullie hadden toch verkering,' zegt Isa. 'Als dat uit is, heet het een ex.'

'Maar ik heb het helemaal niet uitgemaakt,' zegt Nona. 'En dat ben ik ook niet van plan.'

'Wat zeg je nou?' Isa kan het niet geloven. 'Wat is er aan de hand? Heeft hij je bedreigd of zo?'

'Hou nou eens op,' zegt Nona. 'Jij doet net of Jules een crimineel is. Hij heeft misschien een fout gemaakt maar daarom laat ik hem niet zomaar vallen. En Brian ook niet.'

'Een fout?' roept Isa verontwaardigd uit. 'Noem je dat een fout? Weet je wel wat hij gedaan heeft? Hij heeft mijn ouders bestolen. Mijn ouders, die hem zo goed hebben opgevangen.'

'Maar hij heeft het geld toch teruggelegd,' zegt Nona. 'Hij had het ook kunnen houden. En hij is zelf naar je vader gegaan. Als hij niks had gezegd was niemand er ooit achter gekomen.'

'Hij was bang voor de politie,' zegt Isa. 'Daarom heeft hij het toegegeven. Nergens anders om. Hij was bang dat de politie hem zou verhoren en dat er dan nog meer aan het licht zou komen. Weet jij veel wat hij allemaal op zijn geweten heeft.'

'Doe niet zo belachelijk,' zegt Nona. 'Je hebt het over Jules, hoor!'

'Jullie maken toch geen ruzie, hè?' zeggen twee mannen die langslopen.

Isa en Nona zijn zo kwaad dat ze niks terugzeggen.

'Ik heb het ook over Jules,' schreeuwt Isa. 'Jules die mijn ouders heeft bestolen. Voor je zoiets doet...' Even blijft het stil en dan wordt ze rustig. 'Ik snap heus wel dat het moeilijk voor je is, omdat je verliefd op hem bent. Maar je hebt toch wel hersens, je moet niet meer met hem omgaan.'

'Weet je wat ik denk? Dat ik beter niet meer met jou kan omgaan.' En Nona loopt weg.

'Als dit niet sterk is!' Romeo hangt met zijn hele gewicht aan het touw.

Annabel gaat er met haar voet op staan. 'Ik leg die knoop er wel in,' zegt Stef. 'Heb ik vroeger bij de scouting geleerd.'

'Volgens mij kunnen we met dit vlot een hele kudde olifanten vervoeren.'

'Nou, dan mogen ze wel een motor van een slagschip meenemen.'

'Ik hoop dat ze er een op de kop tikken,' zegt Annabel.

'Hier kan het touw nog strakker,' zegt Romeo.

'Surprise!' horen ze achter zich. Kars en Edgar leggen een motor op het vlot. 'Gaaf of niet?'

'We hebben 'm voor een prikkie gekregen, maar dat kwam door Kylian. Wat is dat een goeie gast. Slijmen met die man! Dat het zo leuk was dat we zelf een vlot bouwden. En dat we maar scholieren waren die het van ons zakgeld moesten betalen. En ja, hoor, die man deed het.'

'Maar nou moet-ie er nog op,' zegt Edgar.

'En dat mag jij doen,' zegt Annabel.

'Een hele eer.' Edgar bekijkt de motor.

'Wat komt die nou weer doen?' Annabel wijst geërgerd naar Axel die aan komt skaten. 'Heeft iemand van jullie mijn mobiel gezien?'

'Nee! Waar ben je 'm verloren?' Edgar legt de motor neer.

'Weet ik het. Hij zit altijd in mijn zak. Dat ding is er nog nooit uit gevallen.'

'Wanneer had je hem voor het laatst?' vraagt Romeo.

'Geen idee,' zegt Axel.

'O, dus daarom heb je niet op Stefs liefdessms'je gereageerd,' zegt Romeo. 'Dat heeft-ie een uurtje geleden verzonden.'

'Een hele opluchting.' Stef grijpt naar zijn hart. 'Ik dacht al dat je me afwees, maar nou heb ik weer hoop.'

'Doe niet zo melig, jullie,' zegt Annabel. 'Die jongen is zijn mobiel kwijt.'

'Wat is je nummer?' Kars haalt zijn mobiel al uit zijn zak. 'Dan bel ik je op. Misschien horen we het ding dan wel ergens afgaan.'

'Klopt,' zegt Annabel. 'Zo heb ik mijn mobiel ook ooit teruggevonden. Je moet langs alle plekken gaan waar je bent geweest en dan bellen.'

'Dan heb ik wel een mobiel nodig.'

'Je mag de mijne wel even lenen.' Annabel haalt hem uit haar zak en geeft hem aan Axel.

Axel tikt zijn nummer in. 'Geinig, dan kan ik inspreken op mijn eigen voicemail. Weer eens iets anders. Krijg nou wat,' zegt hij. 'Dat ding staat uit.'

'Lekker snugger,' zegt Kars. 'Dat werkt dus niet. Dan had je 'm aan moeten zetten.'

'Hij stond aan.' Axel probeert het nog een keer. 'Nee, hoor, hartstikke uit. Dat ding staat nooit uit. Iemand heeft hem uitgezet, dat kan niet anders. Hij is dus gejat!'

'Hier op de camping?' vraagt Kars. 'Dat lijkt mij sterk.'

'Die klootzak!' zegt Axel ineens. 'Hij heeft mijn mobiel gejat.'

'Wie?' vraagt Romeo. 'Je bedoelt mij toch niet, hè? Ik heb hier nogal een reputatie.'

'Wie dacht je nou?' zegt Axel. 'Die Jules natuurlijk. Toen ik vanmiddag in de kantine kwam, was-ie zogenaamd met de speurtocht bezig. Leuk jassie heb je, zei hij. Gaaf, hoor, zo een wil ik ook. Je mag 'm wel even passen, zeg ik nog. Wat denk je, toen heeft die gluiperd mijn mobiel eruit gejat. Want daarvoor had ik nog een sms'je van Madelon. Dat is toch wat! We mogen wel oppassen, die gast heeft hier een goudmijntje. Met z'n schijnheilige kop rooft hij de hele camping leeg!'

Stef kijkt Romeo geschrokken aan. 'Waar is jouw camera?'

'In mijn tent,' zegt Romeo.

'Ik hoop voor je dat-ie er nog steeds ligt,' zegt Axel.

Romeo rent terug naar de camping. Het duurt even, maar dan komt hij er met een verschrikt gezicht aan.

'Is-ie weg?'

Romeo knikt. 'Hij ligt er niet meer.'

'Wat…? Dit wordt te gek,' zegt Kars. 'We moeten ingrijpen.'

'Wat een vuile dief!' roept Stef.

'Geintje,' lacht Romeo. 'Hij lag er nog.'

'Jij kunt ook nooit normaal doen, hè?' zegt Annabel.

'Nee, jij bent normaal, nou goed, wie wordt er nou verliefd op Kars?'

'Dat snap ik ook niet,' zegt Kars droog.

'Ik ga m'n mobiel terughalen,' zegt Axel.

'Wacht nou even,' zegt Kars.

'Wat is er aan de hand?' roepen Nona en Brian. Om alles een beetje op een rijtje te zetten hebben ze een kano gehuurd. Ze leggen 'm vast en komen het water uit.

'Die ex van jou heeft Axels mobiel gejat,' zegt Annabel.

Nona en Brian kijken elkaar aan. 'Je kunt iemand toch niet zomaar beschuldigen,' zegt Brian.

'Ben jij gek of zo?' vraagt Axel. 'Wat denk je nou? Ik sta hier niet te liegen, hoor. Hij heeft hem gewoon uit mijn zak gejat. Dit pik ik niet, dat ding was gloednieuw. Waar is die loser?'

'Wacht nou even,' zegt Kars. 'We bespreken dit eerst met mijn vader.'

'Mooi niet, daar heb ik jouw pappie niet voor nodig. Het is mijn mobiel, ik ga hem terughalen. Dat zou lekker worden, dat ik eerst toestemming moet vragen.' En Axel skate weg.

'Erachteraan!' zegt Kars.

'Het spijt me zeer,' zegt Romeo. 'Maar als het waar is, dan moet Jules echt van de camping. Dit kan toch niet?'

'Jullie laten je wel opfokken door die Axel, zeg,' zegt Brian.

'Ja, dat vind ik ook,' zegt Nona.

Een eindje verderop remt Axel af. Hij wacht op de anderen en wijst naar de ingang van de camping. 'Daar staat-ie, bij de weg. Hij gaat op de vlucht, jongens!'

'Ja, hoor,' zegt Brian, 'jij hebt fantasie. Moet je niet onder het gips kijken, het zit vast vol met coke.'

'Jules zwaait alleen maar naar iemand,' zegt Nona. Als ze dichterbij komt, herkent ze Jean. 'Dat is een vriend van Jules, hij was ook op het feest.'

'Zie je wel, die gast wil ervandoor. Maar dat had-ie gedacht.' Axel skate op z'n hardst naar de weg en scheurt achter Jean aan. Maar de brommer gaat veel sneller. Als de achterstand steeds groter wordt, komt hij terug.

'Hoeveel heb je ervoor gevangen?' vraagt hij aan Jules.

'Waar heb je het over?' Jules kijkt hem aan.

'Over mijn mobiel,' zegt Axel. 'Je hebt 'm vanmiddag gejat. Ik wil je geheugen wel even opfrissen? O, wat een leuk jassie, weet je nog? En ik trapte er nog in, ook. Ik heb je mijn jas laten passen. Hoeveel heb je ervoor gekregen?'

'Wat ijl je nou,' zegt Jules.

'Zorg er maar voor dat Axel hem terugkrijgt,' zegt Stef.

'Laat mij maar, jongens, hij heeft hem toch al verpatst.' Axel kijkt Jules vuil aan. 'Ik zal er persoonlijk voor zorgen dat ze je van de camping trappen, klootzak.'

'Heb jij nooit geleerd dat je je grote bek dicht moet houden?' Brian heeft zin om Axel een klap voor zijn kop te geven, maar Nona gebaart dat hij zich moet inhouden.

Axel gaat vlak voor Brian staan. 'Wie heeft hier een grote bek?'

Kars trekt Axel weg. 'Stom van je, hoor,' zegt hij tegen Jules.

'Behoorlijk stom,' zeggen Romeo en Stef en ze nemen Axel mee en lopen weg. Alleen Nona en Brian blijven staan.

Justin ligt op zijn luchtbed met zijn handen onder zijn hoofd. Wat een stomkop is hij geweest! Hij kan zich wel voor zijn kop slaan. Was hij maar nooit dronken geworden, dan was het niet gebeurd.

'Justin!' Zijn moeder komt zijn tent in en gaat naast hem zitten. 'Luister, jochie, is het niet veel beter voor jullie beiden dat we hier weggaan? Dan rijden we vanavond naar Spanje, daar wilde je altijd nog een keer naartoe.'

Weggaan? Nu? Dat is wel het laatste wat Justin wil. 'Dan ben ik Isa zeker kwijt.'

'Wat wil je dan?' vraagt moeder.

'Ik weet het niet,' zegt Justin. 'Ze wil niks meer met me te maken hebben.'

'Je weet dus heel goed wat je wilt.' Moeder slaat een arm om hem heen. 'Jij wilt dat het goed komt. Als dat zo is moet je niet de hele dag in je tent blijven kniezen, daar heb je niks aan.'

'Wat moet ik dan? Ze wil niet eens meer met me praten.'

'Dan moet je iets anders verzinnen,' zegt moeder. 'Waarom verras je haar niet?'

Voor het eerst die middag komt er weer wat glans in Justins ogen. 'Ja, ik kan iets in haar tent leggen.'

'Juist,' zegt moeder.

'Maar hoe kom ik hier aan een cadeautje?' vraagt Justin.

'Je moet ook niet zomaar een cadeautje geven,' zegt moeder, 'je moet iets geven wat aan jullie tweetjes herinnert. Denk maar even rustig na, dan krijg je vast wel een idee. O, ik krijg e-mail. Die moet ik even beantwoorden, anders kunnen ze niet verder.'

'Ga jij nou maar weer werken.' Justin voelt zich een stuk vrolijker. Misschien komt het dan toch nog allemaal goed. Dat hij daar niet eerder aan heeft gedacht. Hij gaat Isa verrassen, maar waarmee? Wat herinnert haar nou aan hun tweetjes? Zijn hoofd zit vol mooie momenten, maar die kan hij niet zomaar uitknippen. Hij heeft een prachtige foto van hen samen, maar dat lijkt hem geen goed cadeau. Isa wilde niet eens dat hij hem hield, omdat ze er stom op stond. Onzin natuurlijk, maar die foto maakt haar dus niet blij. Ineens heeft hij het. Hun singeltje... Justin pakt het meteen. Op dit liedje hebben ze voor het eerst gezoend. Het was op zijn kamer. Ze zaten samen op bed, naast elkaar. Ze voelden allebei dat het zou gaan gebeuren, maar ze durfden niet. Het gebeurde toch, vlak voor Isa wegging. Ze stond al bij de deur. Hij had de single net opgezet. Ze keken elkaar aan en toen kwamen hun gezichten dichter bij elkaar. En ineens kusten ze. Hij proefde haar lippen en voelde voor het eerst haar zachte tong. En toen kreeg hij een gevoel wat hij nog nooit eerder had als hij een meisje zoende. Een soort tinteling door zijn hele lichaam.

Zijn benen trilden helemaal. Er bestonden geen andere dingen meer, alleen zij tweetjes. Er bestond ook geen tijd. Die kus leek wel eeuwig, maar dat was-ie niet, want toen-ie ophield was het liedje nog niet afgelopen. Hij weet het zeker, dit moet hij Isa geven. Dan kan ze niet meer boos blijven. Dan moet ze weten dat die zoen met Madelon niks voorstelde. Moet hij er ook een briefje bij doen? Justin aarzelt. Woorden verpesten soms alles. Hij zet er alleen 'sorry' op, meer niet.

Als hij klaar is vraagt hij zich af hoe hij het zal aanpakken. Hij moet het in haar tent leggen zonder dat ze het ziet. Hij gaat zijn tent uit en gluurt over de camping. Waar zou ze zijn? Hij ziet Annabel bij de rivier, maar Isa is daar niet. Hij loopt in de richting van de kantine als hij Isa ziet. Er is geen enkele twijfel. Daar staat het mooiste meisje van de wereld! Nooit wil hij haar kwijt. Kon hij maar naar haar toe rennen en haar kussen. Maar dan had hij niet met Madelon moeten zoenen.

Justin neemt een ander pad, schiet het veldje van Isa's tent op, doet de rits open en legt het cd'tje binnen.

Isa loopt naar haar tent. Alles gaat mis. Nou is Nona ook al kwaad op haar. Net kwam ze Ad tegen. 'Ik heb jullie barbecueparty voor de volgende week gepland,' zei hij. Alsof ze daar nu zin in heeft.

Isa blijft staan. Dat is de stem van Annabel. Ze is blij dat haar vriendin naar haar toe komt.

'Heb je het gehoord,' zegt Annabel hijgend. 'Onze lieve Jules heeft de mobiel van Axel gejat.'

'O.' Dat interesseert haar nu even helemaal niks.

'Maar ik heb ook een goed bericht,' zegt Annabel. 'Dat vertelde Kars net. Volgende week is onze party. Zie je het voor je, dan ben ik de hele avond met Kars. Ik ben zo verliefd. Een barbecueparty op dat romantische eiland, het kan niet beter. Ik ben zo blij dat ik naar Timboektoe ben gekomen. Vind je het niet super? Over een week al. Dat wordt wel hard werken, want er moet nog heel wat gebeuren.'

'Mijn verkering is net uit, weet je nog,' zegt Isa.

'Sorry, dat is stom van me. Ik dacht even alleen aan mezelf. Maar het is pas volgende week, hoor!' Annabel raapt een bal op die aan komt rollen en gooit hem naar een paar kinderen.

'Wat bedoel je met "pas volgende week"?' Isa hoopt dat Annabel gaat zeggen dat het dan misschien weer aan is tussen Justin en haar. Dat hij het met haar heeft goed gemaakt. Dat het niet kan dat het uit is, omdat ze echt bij elkaar horen. Dat iedereen dat weet.

'Dan ben je er toch allang overheen,' zegt Annabel. 'Je blijft toch niet treuren om dat joch.'

Dat joch, vond ze Justin maar gewoon een joch.

'We gaan naar de stad om fakkels te kopen,' zegt Annabel. 'We nemen de bus.'

'Misschien wel leuk,' zegt Isa. Een beetje afleiding is vast wel goed voor haar. 'Zullen we dan?'

Annabel wordt rood. 'Ik, eh... ik bedoelde dat Kars en ik gaan. We hebben de taken verdeeld, zie je. Jij kunt de anderen helpen. Ze zijn met het vlot bezig. Wij gaan ook gauw weer iets samen doen,' zegt ze als ze Isa's teleurgestelde gezicht ziet. 'Echt waar. Je vindt het toch niet erg?'

'Nee.' Maar het zit Isa helemaal niet lekker. Wat nou met z'n tweetjes fakkels kopen, het is toch ook háár feest? Net nu ze

Annabel zo nodig heeft laat ze haar stikken. Het lijkt wel of iedereen haar laat stikken. Wie heeft ze eigenlijk nou nog? Als ze bij haar tent komt moet ze slikken. Ze had stiekem gehoopt dat Justin op haar zat te wachten om het goed te maken, maar hij is er niet. Misschien heeft hij helemaal geen spijt en vond hij het wel fijn om met Madelon te zoenen. Hebben ze eigenlijk alleen maar gezoend? Wie zegt haar hoe het is afgelopen? Misschien was Axel wel zo dronken dat hij naar zijn tent is gegaan, en waren Madelon en Justin met z'n tweetjes. Het kan dat ze toen weer kusten, en dat Justin Madelon ging strelen... In haar gedachten ziet ze Justins hand over Madelons borsten gaan. En toen heeft Madelon hem heus niet van zich af geduwd. En dan gaat er een schok door haar heen. Zou Justin met Madelon zijn gegaan omdat Madelon wel borsten heeft? Wat gemeen! Isa wordt overvallen door een vlaag van woede, maar tegelijk door verdriet. Ze gaat haar tent in en valt huilend op haar luchtbed. Ze probeert zichzelf te kalmeren. Is het wel zo gegaan? Dat denk je alleen maar, je moet ophouden zo te denken. Het kan toch ook dat Justin wel spijt heeft. Ze droogt haar tranen met haar mouw en wil haar neus snuiten. Ze moet nog ergens papieren zakdoekjes hebben. Isa komt overeind en kijkt rond. En dan valt haar oog op het cd'tje. Van de schrik slaat haar hart over. Alle kleur trekt uit haar gezicht weg. 'Dat is ons liedje...' stamelt ze. 'Het liedje van Justin en mij... Je hebt het teruggegeven...' Sorry, staat erop. Het spijt hem, maar niet dat hij met Madelon heeft gezoend. Het spijt hem dat hij dit moet teruggeven. Hij wil er niet meer aan herinnerd worden, aan wat ze samen hadden. En zij maar hopen dat hij naar haar toe zou komen. Hij is ook naar haar toe gekomen, hij is naar haar toe gekomen om hun liedje terug te geven. Het is uit, nu weet ze het heel zeker. Er is geen hoop meer dat het goed komt: Justin heeft erover nagedacht en het uitgemaakt. Buiten hoort Isa kinderen op fietsen rondcrossen. Ze hoort mensen lachen. Ze laat zich op haar luchtbed vallen en doet haar vingers in haar oren. Ze wil helemaal niemand meer horen. Ze wou... Ze wou dat ze er niet meer was...

'Zien jullie ergens mijn horloge?' vraagt oma, als Nona en Brian de kantine in komen. 'Ik weet dat ik het op de bar heb gelegd en ik kan het niet meer vinden.'
'Ik zie het wel,' zegt Nona. 'Om uw pols.'
'Nou ja,' zegt oma, 'ben ik al die tijd aan het zoeken.'
'Het is maar goed dat Axel niet wist dat u het kwijt was,' zegt Brian. 'Die had meteen geroepen dat Jules het had gepikt.'
'Nee, toch?' zegt oma.
'Wel dus,' valt Nona Brian bij. En ze vertelt waarvan Jules wordt beschuldigd.
'Hè, wat vervelend nou,' zegt oma. 'Dat heb je er nou van. Nu vertrouwt niemand hem meer en dat is echt niet nodig. Jules is een goeie jongen, daar blijf ik bij.'
'Gelukkig dat u er ook zo over denkt,' zegt Brian.
'Het is allemaal heel vervelend,' zegt oma. 'Ik zou ook nooit van Jules hebben gedacht dat hij het geld heeft weggenomen. Ik wil het eigenlijk niet eens geloven, maar hij heeft het zelf toegegeven.'
'Het stomme is dat hij niet wil zeggen waarom hij het gedaan heeft,' zegt Nona.
'Jammer dat hij jullie niet vertrouwt,' zegt oma. 'Jullie zijn toch zijn vrienden. Achteraf had ik het kunnen weten dat Jules het geld had teruggelegd. Die middag liep Frodo ineens in huis rond. Ik vond het al zo vreemd, maar die is natuurlijk met Jules mee naar binnen geglipt.'
'Daar denk je toch niet aan,' zegt Brian.
'Nee,' zegt Nona. 'Toen ik hem van de week naar zijn huis moest brengen, dacht ik hier ook niet aan.'
'Wat moest hij daar dan?' vraagt Brian.
'Dat geld ophalen, waarschijnlijk. Ik vond het allemaal wel vreemd, maar ik mocht niks vragen, dat moest ik beloven.'
'Dus het lag bij hem thuis,' zegt Brian.

Nona knikt. 'Ik denk dat hij het daar had opgeborgen, maar zo goed dat hij het zelf niet meer kon vinden. Want het duurde heel lang voor hij naar buiten kwam.'

'Dus je mocht niet mee naar binnen,' zegt Brian.

Nona schudt haar hoofd. 'Nu snap ik pas waarom niet.'

Brian vindt het maar raar. 'Als je iets zelf hebt opgeborgen, hoef je toch geen uren te zoeken waar het is. Dan moet je wel behoorlijk gaar zijn.'

'Misschien moest hij nog iets anders halen,' zegt oma.

Nona schudt nee. 'Hij had niks bij zich.'

'Sorry,' zegt Brian, 'maar dan klopt er echt iets niet. Als je zoiets belangrijks verstopt, weet je heus wel waar het ligt, toch?'

Hij kijkt oma aan, maar die lijkt niet naar hen te luisteren.

'Dat vindt u toch ook?' vraagt Brian weer.

'Sorry, jongens, maar er is iets wat ik me ineens herinner en het zou hier wel eens mee te maken kunnen hebben. Ik moet Jules onmiddellijk spreken.' En weg is ze.

Nona en Brian kijken elkaar aan.

'Dit snap ik even niet,' zegt Nona.

'Ik ook niet,' zegt Brian. 'Ik duik nog maar even in de prehistorie. Ik heb een heel mooi boek van de bieb geleend, vol muurschilderingen. Wil je het zien?'

'Staat die van jou er ook in?' vraagt Nona.

'Dat hoop ik niet,' zegt Brian. 'Want dan is-ie al ontdekt.'

'Nee, dat mag niet,' zegt Nona. 'Wij moeten beroemd worden. En jij het meest, want jij hebt de tekening ontdekt.'

Buiten zien ze Axel staan. Madelon komt naar hem toe met een mobiel in haar hand.

'Wat moet jij met mijn mobiel?' horen ze Axel roepen.

'Kijk maar.' En Madelon geeft de mobiel aan Axel.

'Dat noem ik nou brutaal. Je hebt je naam in mijn mobiel bij de vips gezet.'

Nona en Brian stappen op hen af. 'Ik dacht dat Jules dat ding had gestolen, dat wist je toch zo zeker?'

'Dat wou hij vast wel,' lacht Madelon, 'maar ik had hem.'
'Jules heeft geluk,' zegt Axel. 'Als-ie nog in mijn jasje had ge-
zeten, had hij 'm er vast uit gehaald en dan kon-ie vertrekken.'
Nona wordt woedend. 'Hoe durf je dat allemaal te zeggen!'
'Met dat crimineeltje hebben wij geen medelijden,' zegt Made-
lon.
'Zo is dat,' zegt Axel. 'Hij heeft dit toevallig niet gejat.'
Nona kan zich bijna niet beheersen, het is maar goed dat
Madelon en Axel doorlopen.

9

Edgar zit op zijn knieën naast het vlot met de motor op zijn schoot. Hij denkt hardop. 'Aha, jij zit zo in elkaar, ik geloof dat ik het al begin te snappen.'

Vol spanning hangen ze met z'n allen om hem heen.

Edgar trekt ergens aan.

'Pas op!' roepen ze. Ze halen opgelucht adem als hij een onderdeel in zijn hand houdt. 'Ik dacht dat het afbrak.'

Edgar kijkt op. 'Als jullie nou eens iets anders gaan doen. Hier word ik een beetje gestrest van.'

'Die jongen heeft gelijk,' zegt Kars. 'Er is genoeg te doen.'

'Ja,' zegt Romeo. 'Het eiland moet wel vol.'

'Zo is dat,' zegt Stef. 'Zo meteen hebben we een supervlot en dan komt er niemand.'

'Hoe pakken we het aan, jongens?' vraagt Nona.

'Mag dat even ergens anders,' zegt Edgar. 'Ik moet nadenken.' Hij haalt een boor uit de gereedschapskist. 'Heb je ergens een steun voor me?'

'Wat voor steun?' vraagt Kars.

'Een boekensteun, nou goed,' lacht Romeo. 'Je snapt toch wel wat hij bedoelt. Een soort beugel waar de motor in moet hangen.'

'Ik kijk wel even,' zegt Kars.

'Dan ga ik meteen mee,' zegt Nona. 'Ik moet weg.'

'Laten wij ook maar meelopen,' zegt Stef. 'De kantine is een betere plek om te vergaderen.'

'Ja,' zegt Romeo. 'Dan heeft onze professor ook rust.'

'Heel sympathiek,' lacht Edgar.

Ze zitten al een tijdje in de kantine als Kars binnenkomt. 'Is het gelukt?'

'Mijn pa had nog een steun liggen.' Kars legt een blocnote

neer. 'Nou, onze party. Nog een week, jongens. We zullen er vol tegenaan moeten.'

'We moeten niet hetzelfde doen als de vorige keer,' zegt Romeo. 'We moeten nu iets heel anders verzinnen om mensen te trekken.'

'Hoe we het ook gaan aanpakken,' zegt Brian, 'ze zullen wel moeten weten dat er een party komt.'

'Wat denken jullie van een geluidswagen?' zegt Romeo.

De anderen moeten lachen.

'En dan jij op de motorkap als trekker,' zegt Kars. 'Het zou heel mooi zijn, maar zo groot zijn we nog niet. Wacht maar af, over een paar jaar hebben we onze eigen geluidswagen.'

'We kunnen van die borden omdoen,' zegt Brian. 'En dan rondwandelen.'

'Erg sexy,' zegt Romeo. 'Dat doe ik niet, hoor. Ik ben geen sandwich.'

'Weet Kylian niks?' vraagt Stef.

'Die is hartstikke druk met de speurtocht,' zegt Kars. 'Die staat voor overmorgen gepland. Weet je hoeveel kinderen zich hebben opgegeven? Achtenveertig.'

'Ik heb het!' roept Romeo. 'Stef en ik gaan dit keer niet proppen, maar als standbeeld staan.'

'Alleen maar staan?' vraagt Brian.

'Niet als een zoutzak natuurlijk,' zegt Romeo. 'In een aantrekkelijke houding, met een flyer in ons hand.'

'Gaaf!' zegt Kars. 'Dan kunnen ze die uit jullie hand pakken.'

Nu is Brian ook enthousiast. 'En dan blijven wij in de buurt en stoppen er steeds een nieuwe in. Want jullie mogen niet bewegen.'

Stef vindt het ook top! 'In onze outfit, zonnebril op, een sexy houding. Reken maar dat het opvalt. Zo trekken we de meiden wel aan.'

'We hebben ook jongens nodig,' zegt Brian.

'Madelon!' roept Romeo.

'Wat Madelon?'

'We vragen of zij ook als standbeeld wil gaan staan. Nou, dan zit ons vlot zo vol, hoor! Die sleept zo een krat leuke boys naar binnen.'

Daar zijn ze het allemaal over eens.

'Niet gek om die Madelon in te zetten, maar wie gaat dat regelen?' Kars kijkt naar Stef. 'Jij hebt connecties, toch?'

'Hoezo connecties?'

'Ja!' roepen Kars en Romeo. 'We zagen je gisteren wel.'

'Jullie zoeken ook overal iets achter, hè? Ik heb alleen maar met haar gepraat. Over skaten, als jullie het willen weten. Maar ik wil het wel vragen, hoor.' Stef staat al bij de deur. 'En wat als ze er poen voor wil hebben?'

'Altijd doen,' zegt Romeo. 'Zo'n goudvissie verdient zichzelf tien keer terug. Dat heb je met ons ook gemerkt.'

'Daar loopt ze!' Kars wijst naar buiten.

'Succes!' Stef stapt op Madelon af. 'Het moet lukken.'

Vol spanning volgen ze hem.

'Ja, hoor, hij heeft het al gevraagd,' zegt Kars. 'Kijk maar naar haar gezicht.'

'Dat is nou mijn probleem,' zegt Romeo. 'In dit soort gevallen komen mijn ogen altijd iets lager uit. Lastig, hè? En volgens de oogarts valt er niks aan te doen.'

'Daar komt-ie alweer,' zegt Brian. 'Zo te zien is het gelukt.'

'En?'

'Ze doet het,' zegt Edgar. 'Maar ze wil er wel iets voor terug.'

'Logisch,' zegt Romeo. 'Hoeveel wil ze vangen?'

'Geen poen, ze wil zoenen, 's avonds heel romantisch onder het licht van de maan.'

'Nou, dat doe je dus meteen.' Romeo geeft Stef een stomp.

'Helaas gaat het niet om mij,' zegt Stef.

'Aha, ze wil met mij zoenen, nou dat kan, hoor, schatje.' Romeo wrijft in zijn handen. 'Ze stond op mijn lijstje. Maar ik dacht: laat Stef maar even met haar oefenen. Nou, jongens, dat...'

Stef houdt zijn hand voor Romeo's mond. 'Ze wil zoenen met Kars.'

'Met Kars?' Romeo krijgt er een kleur van. 'Weet ze dat wel zeker. Haalt ze onze namen niet door elkaar?'

'Het spijt me voor je,' zegt Stef, 'maar ze weet echt wel wie Kars is.'

'Oké, niet makkelijk, maar ik kan wel tegen mijn verlies. Proficiat. Dat heb je goed gedaan, vent. Dat is zeker wel de lekkerste opdracht die je ooit hebt gehad. Wat een mazzelkont ben jij, zeg!' Romeo geeft Kars een hand.

'Wat kijk je nou?' zegt Stef tegen Kars. 'Niet blij of zo?'

'Zijn hersens werken nou eenmaal een beetje traag. Het komt goed. Over een paar tellen gaat hij helemaal uit zijn dak.'

Afwachtend kijken ze Kars aan. 'Gebeurt er nog iets?'

'Ik weet niet of ik het wel wil,' zegt Kars.

'Hij durft niet,' zegt Stef.

'Ik durf het heus wel,' zegt Kars. 'Maar hoe denk je dat Annabel dat vindt?'

'Dit meen je niet!' Romeo en Stef vallen bijna flauw. 'Je bent echt gestoord. Zo'n stuk laat je toch niet lopen voor een meid? Het is nog niet eens aan.'

'Je bent echt gek met je Annabel,' zegt Stef. 'Mag ik even lachen? Dat is toch alleen maar spel, man. Je laat je leven toch niet verpesten door zo'n meid. Nou, ik zou het wel weten.'

'Omdat jij niet verliefd bent,' zegt Kars.

'Je bent gestoord, weet je dat wel. Je bent echt gestoord. Je lijkt wel een wijf. Ben je eigenlijk wel een vent? Wat een gezemel.'

'Ik maak nog altijd zelf uit wat ik doe,' zegt Kars.

'Laat hem maar even, jongens,' zegt Romeo. 'Hij is vast door een giftig insect gestoken. Ik bel zo de dokter, het komt goed met je, rustig maar.'

Maar Stef gaat door. 'Onze party, man. Weet je nog hoe blij we waren toen we die doorgang vonden? En nou kun je het hele eiland vol krijgen en dat doe je niet. En waarom niet? Voor een of ander chickie.'

'Meiden zijn er alleen maar voor de lol,' zegt Romeo.

'Jij doet net of je al getrouwd bent,' zegt Edgar. 'Zet je pantoffels vast voor de kachel.'
'Ik word hier even niet goed van.' Romeo loopt naar de bar. 'Mag ik een, eh…'
'Wat had je gewild?' vraagt Hanna die voor oma invalt.
'Shit! Ik weet niet eens meer hoe het heet,' zegt Romeo. 'Zo maf ben ik geworden van die gast. O ja, een cola wil ik. Geef hun ook maar een colaatje. En voor Kars water, met een aspirientje.'

Frodo komt Jules' tent in en likt zijn hand. 'Je bent lief,' zegt Jules. 'Ik weet wat je komt vragen. Of ik meega naar de anderen, maar dat kan helaas niet.' Jules zucht. Hij heeft net besloten vannacht van Timboektoe te vertrekken. Het is niet makkelijk om iedereen achter te laten. Als hij naar Frodo kijkt wordt het alleen maar moeilijker. Frodo is gehecht aan deze plek en aan de mensen. Aan Nona en Brian, eigenlijk aan iedereen. Sinds ze op de camping zijn is zijn hond een stuk gelukkiger. Dat was hij zelf ook, maar jammer genoeg kan het niet meer. Toen Nona en Brian weg waren, wist hij het ineens zeker. Wat zou hij het graag vertellen. Wat zou hij zijn vrienden graag zeggen dat hij geen dief is, maar dat is onmogelijk. Jules voelt de tranen in zijn ogen als hij aan Nona denkt. Het was net ook zo moeilijk. Ze pakte zijn gezicht tussen zijn handen en kuste hem. 'Je hoeft het mij niet te vertellen, ik hou toch van je.' Die lieve blik… Na zijn moeders dood is nooit meer iemand zo lief voor hem geweest. Hij bijt op zijn lip. 'Ik hou ook van jou, Nona,' zegt hij zachtjes. 'Maar ik moet weg, ik moet je wel in de steek laten. Ik hoop dat je het begrijpt…'
Zal ze het begrijpen? Jules kijkt naar Frodo. 'We moeten iets heel liefs achterlaten, Fro, het liefste meisje dat er bestaat.'
Wat zal het moeilijk zijn als hij eenmaal weg is. De gedachte dat hij haar lippen nooit meer zal kussen kwelt hem. Wat zal hij nog vaak aan haar denken. En aan Brian en de grot. Stel je voor dat hij in Marseille ineens in de krant leest dat er een heel

bijzondere muurschildering in de Dordogne is gevonden. En dat de grot wordt opengesteld. Zijn grot, die hij heeft ontdekt. En dat hij er niet bij kan zijn... Hij zal nergens meer bij zijn. Ook niet als Timboektoe een hit wordt. Jules aait Frodo over zijn kop. 'Over een paar dagen zijn we in Marseille, bij Pierre.' Frodo kwispelt als hij Pierre's nam hoort. 'Maar het is nog niet zover, eerst moeten we nog een lange reis maken, wij tweetjes.' Jules weet dat het niet gemakkelijk zal zijn op zijn krukken. Vannacht vertrekken ze. Hij denkt dat ze ongeveer vijf uur nodig hebben om naar de grote weg te lopen. Elke kilometer die ze afleggen komen ze dichter bij Pierre, maar gaan ze ook verder weg van Nona. Hij weet zeker dat hij altijd van haar zal blijven houden, net als van zijn moeder. Die ziet hij ook niet meer. Waarom verliest hij iedereen van wie hij houdt? Jules voelt het verdriet opkomen. Niet aan denken, zegt hij tegen zichzelf. Denk maar aan Pierre. Het is toch fijn om naar Pierre te gaan?

Jules schrikt. Buiten klinken voetstappen. Als het Nona maar niet is, alsjeblieft niet nu, nu hij weet dat hij weggaat. De voetstappen komen dichterbij, maar ze zijn niet van Nona. Nona loopt veel lichter, alsof ze danst. Wie is het dan? Het is wel voor hem, want ze komen zijn kant op. Jules zit als versteend in de tent als oma voor hem staat. Zijn mond valt open. 'U...?' Hij voelt een brok in zijn keel. Hij ziet haar zachte ogen, de warme blik en de lieve lach om haar mond die vertellen dat ze hem nog steeds aardig vindt. Dat is juist zo verrot. Morgen is hij er niet meer, wat zal hij haar missen als hij eenzaam langs de weg loopt. Frodo springt tegen oma op en likt haar gezicht. Jules kan het niet aanzien en wendt zich af.

'Wij zijn vriendjes,' hoort hij oma zeggen. 'Heel goeie vriendjes.'

Even blijft het stil en dan voelt hij een hand op zijn schouder. 'Dag jochie, wij zijn ook vrienden, hoor.'

Nog wel, denkt Jules, maar voor hoe lang nog? Morgen ben ik er niet meer, dan is deze tent leeg. Over een poosje slaapt er een ander in en dan zijn jullie mij vergeten. Maar ik kan jullie niet vergeten, ik kan nooit vergeten wat jullie voor mij hebben gedaan.

'En wij blijven ook vrienden, wat er ook gebeurt,' zegt oma. Jules kijkt haar verward aan. Het is net of ze zijn gedachten kan raden.

'Weet je,' zegt oma. 'De hele dag door kom je mensen tegen. Maar soms kom je iemand tegen van wie je echt gaat houden. Zo iemand ben jij, Jules. Ik geef om je als om mijn eigen kleinkinderen. Je betekent heel veel voor me, ik zal je nooit laten vallen, wat je ook doet.'

Jules slikt een paar keer. Zo wordt het allemaal steeds erger.

'Ik wil dat je me vertrouwt, Jules.'

'Dat doe ik ook,' zegt Jules.

'Goed,' zegt oma. 'Dan moet jij mij zeggen of het waar is wat ik denk.'

Jules knikt.

'Ik denk dat jij het geld niet hebt gestolen.'

Jules schrikt heel erg.

'Je hoeft nog niks te zeggen, het is maar een gedachte van mij, meer niet.'

Gelukkig, Jules durft weer adem te halen.

'Ik denk dat jij iemand wilt beschermen, iemand van wie je heel veel houdt. Die het heel moeilijk heeft, en het leven eigenlijk niet meer aankan. Die er alles aan doet om de eenzaamheid te ontvluchten en de pijn niet te voelen die hij heeft omdat hij zijn lieve vrouw van wie hij zoveel hield, moet missen. Daar heeft hij wel iets op gevonden: drank. Alleen als hij drinkt voelt hij die pijn niet. Maar drank is duur. Toch moet hij het hebben. Niet omdat hij een dief is, maar omdat hij niet de baas is over zichzelf.'

Jules kijkt oma angstig aan. Ze heeft zijn vader die avond gezien... Het is of zijn adem wordt afgesneden.

'Ik ben niet boos op hem,' zegt oma, 'en dat moet jij ook niet zijn.'

Als ze Jules aankijkt begint hij te huilen. Zo erg, dat het lijkt of hij niet meer kan stoppen. Hij huilt om alles tegelijk, om zijn moeder die er niet meer is, om zijn vader, om Nona, om Brian, om alles…

Jules snikt met zijn hoofd tegen oma's schouder. 'Huil maar, jochie.' Ze streelt zijn gezicht. 'Maar weet dat je niet alleen bent. Ik ga je helpen en niet alleen jou, ook je vader.'

Het is gelukt! De motor zit op het vlot en werkt ook nog. Maar Isa is woedend. Vanavond is de tewaterlating. Natuurlijk wil zij daar ook bij zijn. Gaat die stomme Romeo Justin vragen.

'Dan kan ik dus niet mee,' zei ze.

Kars nam het voor haar op. 'Zeg Justin maar af.'

Dat vond Annabel ook. 'Wie is hier nou belangrijker, Isa of Justin?'

Maar toen kregen ze Edgar op hun dak. 'Natuurlijk komt Justin. Hij heeft me de hele middag geholpen. Isa moet zich eroverheen zetten.'

Eroverheen zetten, alsof dat zomaar gaat. Als ze zichzelf nou zat te kwellen door steeds naar hun lievelingsliedje te luisteren, maar dat doet ze niet. Ze heeft de single expres ver weggestopt, zodat ze er niet aan herinnerd wordt.

Romeo wordt bedankt! Isa is naar haar tent gegaan.

Ze wou dat haar moeder even bij haar kwam zitten. Ze heeft haar verteld dat het uit is. Hanna vond het rot voor haar, dat merkte ze wel, maar ze had geen tijd. Ze moest van alles regelen. Maar morgen heeft ze ook geen tijd, dan is er weer iets anders. Het lijkt wel of haar moeder nooit meer ergens tijd voor heeft sinds ze op de camping wonen. Ze is alleen maar bezig met de pr. Isa snapt het niet. Het loopt nu toch goed? Met haar vader hoeft ze er niet over te praten dat het uit is. Die heeft nog nooit normaal over Justin en haar gedaan. Hij denkt dat ze nog een klein kind is en dat het niks voorstelt. Gelukkig heeft oma wel alle tijd voor haar, anders zou ze het echt niet uithouden.

Ze pakt een stripboek en gaat op haar bed zitten. Haar moeder heeft *Asterix* voor haar gekocht, maar wel in het Frans. Isa probeert haar aandacht bij de strip te houden, maar het lukt haar niet. Na tien minuten is ze nog steeds op de eerste bladzij en ze weet niet eens wat ze heeft gelezen. Het dringt gewoon niet tot haar door. Ze moet de hele tijd aan Justin denken. Ze had zich de vakantie wel anders voorgesteld.

In de verte hoort ze gelach. Ze gaan naar het vlot. Isa kijkt op haar horloge. De tewaterlating is om acht uur. Als ze wil kan ze er nog heen gaan. En dan zeker samen met Justin op het vlot zitten, alsof er niks is gebeurd. Moet je hen horen. Het besef dat ze daar allemaal lol hebben en zij in haar eentje in de tent zit, maakt haar extra eenzaam. Ze stopt haar vingers in haar oren, maar ook dat helpt niet. Het gelach komt er dwars doorheen. Hou op! denkt ze. Hou allemaal op! Er valt hier niks te lachen. Snappen jullie dat dan niet? Maar het wordt alleen maar harder.

Isa bijt op haar lip. Ze kan er niet meer tegen. Ze wordt nog eens gek hier op die rotcamping. Iedereen kan ophoepelen, ze wil alleen zijn. Ze gaat weg, en pas als die stomme tewaterlating voorbij is komt ze terug. Maar waar moet ze naartoe? Ze weet het niet, maar alles is beter dan hier te blijven. Misschien moet ze maar gewoon een eind gaan lopen. Ze kruipt haar tent uit, maar wordt daar ook niet vrolijker van. Overal om haar heen zitten mensen gezellig voor hun tent te eten. En een eindje verderop lopen twee vriendinnen met de armen om elkaar heen over de camping. Had zij maar zo'n vriendin. Nona is kwaad op haar en Annabel heeft helemaal geen tijd, die denkt alleen maar aan Kars. Ze vond het nog wel zo leuk dat Annabel verliefd was op haar broer. Dit had ze toch nooit kunnen bedenken, dat Annabel haar zou laten stikken.

Isa loopt het lavendelpad af. Ze gaat niet naar de rivier, maar expres de andere kant op, dan weet ze tenminste zeker dat ze hen niet ziet varen.

'Je hebt er wel werk van gemaakt,' zegt Justins moeder als Justin de tent in komt. 'Zo lang ben ik nog niet eens bezig als ik uitga.'

'Je snapt toch wel dat ik er een beetje goed uit wil zien,' zegt Justin.

'Ik plaag je alleen maar,' lacht zijn moeder. 'Doe jij nou maar je best vanavond, ik denk dat het wel weer goed zit tussen jullie.'

'Het was een gaaf idee van die single, hè?' zegt Justin.

'Heel goed.'

'Echt?' Ineens wordt Justin onzeker. 'Ze is niet naar me toe gekomen.'

'Dat hoeft toch ook niet. Ze hoeft toch niet meteen een gat in de lucht te springen. Het is toch ook dom wat je hebt gedaan.'

'Wat nou,' zegt Justin. 'En je zegt altijd dat ik nog veel te jong ben voor verkering. Dat ik nog een heleboel moet meemaken.'

'Dat vind ik ook,' zegt moeder. 'Maar jij blijkbaar niet, want je wilt niet dat het uit gaat. Dan is het niet zo handig om met een ander te zoenen.'

'Zit mijn haar wel goed?' vraagt Justin.

'Je ziet er fantastisch uit, maar ga nou maar, want zo meteen varen ze weg zonder jou. Veel plezier.'

'Jij ook,' zegt Justin. 'En, eh… denk aan je onderzoek, hè? Niet te veel wijntjes drinken met de buurman.'

'Sst…' zegt moeder. 'Dat ik dat nou één avond heb gedaan. Ik ga verder werken aan mijn artikel, dan kan ik morgen weer wat mailen, anders denkt mijn baas dat ik niks uitvoer.'

'Van jou zeker,' lacht Justin. 'Workaholic.'

Justin loopt naar de rivier. Hij vindt het best eng. Ook dat nog, Madelon komt eraan. Daar zit hij nu helemaal niet op te wachten. Hij wil een zijpaadje in schieten, maar ze heeft hem al gezien.

'Je hoeft me niet te ontlopen, hoor,' zegt ze. 'Die zoen stelde niks voor. Die ben ik allang weer vergeten.'

Jij wel, denkt Justin, maar Isa niet.

'Ik heb iets veel spannenders,' zegt Madelon. 'Ik ga zoenen met Kars. We hebben bij de rivier afgesproken als het gaat schemeren. Zie je het voor je?'

'Vergis je je niet met een ander?' vraagt Justin. 'Romeo of Stef?'

Madelon schudt haar hoofd. 'Ik ga zoenen met Kars.'

'Ik dacht dat die op Annabel was,' zegt Justin.

'Dat kan wel zijn...' Madelon kijkt heel verleidelijk. 'Zo zie je maar, hè, hij kan me toch niet weerstaan.'

Dat had Justin niet van Kars verwacht, maar wat heeft hij ermee te maken?

Justin hoort de anderen al van verre. Als hij vlakbij is blijft hij staan. Durft hij eigenlijk wel? Kan hij niet beter wachten tot Isa hem komt halen?

'Schiet op,' zegt hij tegen zichzelf. 'Romeo heeft je zelf gevraagd. En je hebt de hele middag met Edgar aan het vlot gewerkt. Als er één bij hoort ben jij het wel.' En hij loopt door.

'Ah, maatje van me!' Edgar geeft Justin een klap op zijn schouder. 'Dat was goed werk vanmiddag.'

Terwijl Edgar tegen hem praat kijkt Justin rond. Isa is er nog niet. Kylian komt er ook aan. 'Ik zie het al,' zegt hij. 'Dat is een supervlot.'

'Vaar je niet mee?' vraagt Kars.

'Ik kan niet,' zegt Kylian. 'Ik moet het traject voor de speurtocht nalopen.'

'De tewaterlating, man,' zegt Romeo.

'Ik baal er echt vreselijk van,' zegt Kylian. 'Maar ik moet gaan.'

'Ja ja, jij vertrouwt ons vlot niet,' zegt Romeo.

'Hè, dat je dat nou weer doorhebt.' Kylian loopt lachend weg.

Edgar kijkt op zijn horloge. 'Vijf minuten voor acht, jongens, wat denken jullie ervan?'

'Jaa!' roepen ze. 'Slepen met dat vlot!'

Het is zwaarder dan ze dachten. Ze moeten echt met z'n allen duwen. Edgar telt hardop. 'Een, twee...' bij 'drie' gaat-ie weer

een stukje. 'Nog een keer!' roept Edgar. 'We zijn er bijna!'
'Een, twee...' PATS, het vlot ligt in het water. Ze klappen en joelen. Wat ziet het er indrukwekkend uit!
'Het blijft drijven!' roepen ze.
'Nog wel,' zegt Stef. 'Maar nou moeten wij er nog op.'
'Ik blijf nog even hier,' zegt Romeo. 'Ik moet dit filmen.'
'Hoe wij verzuipen zeker,' zegt Stef. 'De nieuwe versie van de Titanic.'
Justin kijkt om zich heen. Ze gaan bijna varen en Isa is er nog steeds niet. Zou ze nog kwaad zijn? Of heeft ze de single niet gevonden. Vast niet. Wat dom van hem, hij had 'm haar beter kunnen geven. Hou er nou maar over op, zegt hij tegen zichzelf. Je gaat nu lol maken. Die single ligt in haar tent. Ze vindt hem ineens en dan komt het wel goed.
'Wacht even, jongens,' zegt Romeo. 'Bij een tewaterlating hoort een ceremonie.' Hij haalt een fles cola omhoog.
'Schudden!' roepen ze.
Romeo schudt eerst een tijdje en draait dan de dop eraf. De cola spuit omhoog.
'Ik doop u Turbo Racevlot,' zegt Romeo plechtig. 'En ik wens u een behouden vaart.'
Maar in plaats van de fles tegen het vlot te knallen neemt hij een slok en geeft de fles door.
Edgar zet zijn handen aan zijn mond. *'This is your captain speaking.* TOETOEOET...!'
Ze duwen met stokken het vlot van de kant.
'Wacht even!' roept Romeo. 'Ik moet er nog op!'
Hij neemt een sprong en... daar gaan ze. De motor hoeft niet aan. Ze varen met de stroom mee.
'Te gek!' roepen ze. 'Wat een kanjer! Hier kunnen we de zee mee op.'
Ad komt ook even kijken en zwaait. 'Mooi werk, jongens!'
'We gaan tot het eiland en dan weer terug,' zegt Kars.
'En dan moet onze motor aan,' zegt Edgar trots. 'Hé, Justin, dan kunnen ze zien hoe vakkundig wij bezig zijn geweest.'

De stroom is heel sterk. Ze zijn al bijna bij het eiland.

'Eromheen, jongens!' roept Kars. 'En nu weer terug, we hebben een retourtje. Zet die motor aan!'

'Daar komt-ie!' Vol spanning kijken ze naar Edgar. Hij trekt aan het touw en...

'Hij doet niks!' roept Romeo.

'Rustig nou even.' Edgar is duidelijk gestrest. Justin komt er ook bij. Edgar trekt nog eens en nog eens, maar er gebeurt niks.

'We drijven terug!' roept Kars. 'Bijsturen! Zo meteen knallen we tegen het eiland op!'

'Hier snap ik niks van!' zegt Edgar. 'Vanmiddag liep de motor nog zo mooi rond.'

'Nog één keer dan.' Hij trekt en dan...

Ze hoeven helemaal niks meer te doen. De motor duwt hen door het water. Eerst is Edgar nog bezorgd, maar de motor slaat niet meer af.

'Hoera voor ons Turbo Racevlot!' roepen ze.

'Ik weet al wat ik fout heb gedaan,' zegt Edgar.

'Wat dan?'

'Daar snappen jullie toch niks van.' En Edgar bespreekt het met Justin.

'Nog een rondje!' roept Romeo, als ze weer bij het vertrekpunt zijn aangekomen.

'Daar gaat-ie dan! Motor uit!' En ze gaan nog een rondje en nog een, net zolang tot de benzine op is en ze het laatste stuk moeten duwen.

Als ze aan de kant liggen, neemt Edgar zijn pet af en houdt die voor hen op. 'Een kleine bijdrage voor uw kapitein alstublieft.'

Pas als ze weer aan wal zijn denkt Justin aan Isa.

Stel dat ze de single wel heeft gezien en toch niet met hem verder wil? Hij wordt steeds onzekerder. Hij moet het weten en stapt op Annabel af.

'Isa was er niet.'

'Vind je het gek?' vraagt Annabel. 'Die had echt geen zin om met jou op het vlot te zitten. Dat zou ik ook niet doen.'

Justin aarzelt, maar dan vraagt hij het toch. 'In haar tent moet een single van mij liggen.'

'Er lag zoveel van jou in haar tent,' zegt Annabel. 'Ze heeft alles verscheurd.'

'Mijn single ook?'

'Nee,' zegt Annabel, 'ze is de hulk niet. Die zal wel op de schroothoop liggen.'

Ze wil me niet meer... Justin verschiet van kleur.

'Je hebt de vakantie van mijn zus wel lekker verpest, hè?' zegt Kars. 'Vind je dat nou leuk? Ik snap jou niet. Ben je daarvoor naar Timboektoe gekomen? Om met een ander te zoenen?'

Justin is zo geschrokken dat hij niks weet te zeggen. Het is uit, denkt hij. Het is echt uit, voorgoed!

'Was weggebleven,' zegt Annabel die het irriteert dat Justin zijn mond niet opendoet. 'Je snapt toch wel dat Isa niks meer met je te maken wil hebben. Ze zou hartstikke gek zijn als ze weer wat met jou begon. Niet dat ze het wil, hoor, maar ik bedoel maar. Als ze het in een vlaag van verstandsverbijstering toch wil, hou ik haar tegen. Wat kijk je nou? Een beetje met Madelon zoenen, zo'n vriendje zou ik ook niet willen.'

'O nee? Als je daar zo zeker van bent dan zou ik maar geen verkering met hém nemen.' Justin wijst naar Kars en loopt weg.

Het valt meteen stil.

'Waar gaat dit over?' Annabel kijkt naar Kars. 'Wat bedoelt hij...?'

Isa dacht dat ze de hele wandeling zou lopen huilen, maar dat is niet zo. Ze hoeft helemaal niet meer om Justin te huilen, integendeel. Ze is woedend. Hoe durft hij? Hoe durft hij haar zomaar aan de kant te zetten, op zo'n laffe manier. Eerst zoent hij met een ander en dan legt hij heel sneaky de single waaraan ze zulke mooie herinneringen hebben in haar tent, met sorry erop. Dat geloof je toch niet. Maanden hebben ze verkering gehad en hoe! Dan doe je toch niet zo? Hij had haar op z'n minst moeten vertellen dat zijn verliefdheid over was. Hij had het recht in haar gezicht moeten zeggen dat hij het uit wilde maken, dat hij weer vrij wilde zijn. Hoe lang is zijn verliefde gevoel al weg? Isa wordt weer kwaad. Waarom was hij niet eerlijk? Omdat hij een schijterd is. Maar wel met Madelon zoenen, dat durft hij wel.

Hoe vaak heeft Kars haar niet voor Justin gewaarschuwd? Dat joch is een eikel. En zij werd alleen maar kwaad. Kars had gelijk. Het is een supereikel. Zij wilde het alleen niet zien. Zou het dan toch waar zijn dat liefde blind maakt? Het moet wel, want hij is helemaal niet het lekkere ding dat ze dacht dat hij was. Als hij dit allemaal doet heeft ze waarschijnlijk nog veel meer van hem te verwachten. Ze ziet hem er zo voor aan dat hij onder haar neus verkering met een ander neemt. Wie weet heeft hij allang iemand op het oog. En daarom moest hij die single kwijt, omdat hij anders een schuldgevoel krijgt. Wat een *sucker*! Isa schopt keihard een steentje weg. Ze is niet van plan om nog maar één traan om dat losertje te laten. Als hij had gedacht haar vakantie te kunnen verpesten, heeft hij het mis. Wat hij kan kan zij ook. Ze zal gek zijn om weken om hem te treuren. Ze neemt zelf ook verkering met een ander. Ze weet nu niet zo gauw met wie, maar keus genoeg. Er loopt vast wel een jongen op Timboektoe rond op wie ze valt. En anders vindt ze wel een gave boy op het eiland tijdens hun party, en dan staan ze quitte. Dan mag Justin eens zien hoe zij met een ander zoent. De gedachte aan wraak helpt haar. Bij elke stap die ze zet voelt ze zich sterker worden. Ze kijkt zelfs om zich heen. Wat is het hier mooi! Het pad is bezaaid met wilde bloemen. Isa snuift. Het ruikt heerlijk. Het zijn heel bijzondere bloemen, want ze herkent er niet een. In de verte is ook een vallei. Het uitzicht lijkt wel van een ansichtkaart, zo prachtig. Ze neemt de omgeving in zich op. Gelukkig weet ze nog hoe ze is gelopen. Maar een eindje verderop splitst het pad zich in allerlei kronkelpaadjes. Dat wordt te ingewikkeld, en ze besluit niet verder te gaan. Dat avontuur bewaart ze wel voor met haar nieuwe *lover*, dan durft ze wel te verdwalen.

Ze kijkt op haar horloge, maar het is nog te vroeg om terug te gaan. Verderop staat een bankje, misschien moet ze daar maar even gaan zitten. Isa zucht. Nu ze zo stilzit moet ze toch weer aan de tewaterlating denken. Hoe zou het zijn? Waarom stuurt Annabel haar geen sms'je? Misschien heeft ze dat wel gedaan. Isa haalt haar mobiel uit haar zak, maar ze heeft geen bereik.

Ze zit al een tijdje als ze voetstappen hoort. Het is zo stil dat ze helemaal is vergeten dat er iemand aan kan komen. Als het maar geen engerd is. Is ze niet stom om hier in haar eentje te blijven zitten? Als haar vader dat wist! Zo meteen is het een vieze potloodventer. Maar weghollen lijkt haar helemaal niet handig. Straks weet ze niet meer hoe ze terug moet en dan zit ze echt in de val. Trouwens, waarom zou ze weghollen. Ze hoeft echt niet bang te zijn. Ze zit al jaren op karate, ze mept hem zo weg. Kom maar op als je durft! Ze heeft er juist een bui voor om een flinke ros uit te delen. Ze leunt een beetje naar achteren en tuurt het pad af. En dan ziet ze Kylian aankomen. Hij heeft een knalgeel hemdje aan. Nu ziet ze pas hoe gespierd hij is. Dat is nog eens iets anders dan de koter met wie zij ver-kering had.

'Hoi,' zegt Isa. 'Hoe was de tewaterlating?'

'Ik was niet mee,' zegt Kylian. 'Jules had een traject voor de speurtocht uitgezet en dat moet ik checken. Hij heeft het goed gedaan, maar ik heb hier en daar toch een paar veranderingen aangebracht. Hè hè, ik kom even gezellig naast je zitten.'

'Ik ben ook niet meegegaan,' zegt Isa. 'Maar dat heeft een heel andere reden.'

'Justin,' zegt Kylian.

Isa knikt. Ze voelt dat ze weer verdrietig wordt.

'Balen voor je,' zegt Kylian.

'Het gaat wel.' Isa haalt onverschillig haar schouders op, maar ze voelt dat ze moet huilen. Dat wil ze niet. Het staat zo stom om meteen te gaan janken.

'Huil maar gerust,' zegt Kylian. 'Voor mij hoef je je niet te schamen. Je kunt nooit zo crazy worden als ik toen ik verliefd was en merkte dat het van één kant kwam. Echt, ik deed alleen maar maffe dingen. Ik wou er niet voor uit komen dat ik er kapot van was, nou, ik heb nog nooit zo maf gedaan. Mijn haar eraf geschoren. Ja, ik was helemaal kaal. Er zat echt niks meer op. Een totaal andere look. Ik kocht allemaal kleren die me helemaal niet stonden. En ging ineens alles over vissen lezen. Zomaar, omdat ik toevallig een boek over vissen zag liggen. Ik heb me wekenlang in vissen verdiept, terwijl ik me nooit voor vissen interesseerde. Het werd steeds gekker. Ineens kocht ik een mega-aquarium met heel bijzondere vissen erin. Dat ding stond ontzettend in de weg, ik kon niet eens meer lopen in mijn kamer. Maar dat kon me niet schelen, want ik zat alleen maar voor het aquarium naar die vissen te turen. Ik praatte nog tegen ze, ook. Het had niet langer moeten duren, anders was ik zelf in dat aquarium gesprongen. Echt waar, ik droomde van party's met vissenvoer en maden. Knetter was ik. Tot ik op een dag in de spiegel keek. Wie is dit? dacht ik. Wat is dat voor een gaar persoon?'

Kylian heeft Isa wel opgevrolijkt. 'Nee,' lacht ze. 'Zo gek ga ik niet doen. Ik ben echt niet van plan om mijn haar af te scheren voor die loser. Hij heeft met een ander gezoend. En het spijt hem niet eens.' Ze wil ook nog van hun lievelingssingle vertellen, maar dat lukt niet meer. Ze barst in snikken uit. Kylian slaat een arm om haar heen. 'Er komt wel een ander, hoor. Zo'n mooie meid wil iedereen wel. Let op, over een poosje heb je weer een ander en dan lach je erom.'

Isa kijkt hem aan. Jij ook, denkt ze. Zo'n lekker ding kan zo iemand krijgen. Dat duurt echt niet lang. Je kunt nog met je lachen ook. En dan gaat er een schok door haar heen. Ze wilde Justin toch terugpakken? Waarom probeert ze Kylian niet te versieren? Dat is pas stoer, als ze verkering krijgt met een jongen van achttien. Daar zal Justin van opkijken. En Annabel ook. Ze weet nu al wat die gaat zeggen: Die is toch veel te oud voor je? Annabel hoeft haar niks meer te vertellen. Ze maakt zelf wel uit met wie ze verkering neemt. Ze kijkt naast zich. Je bent hartstikke knap, denkt ze. Zou hij haar ook leuk vinden? Ze probeert het gewoon.

'Zullen we morgen iets leuks gaan doen?'

'Ik weet iets heel leuks,' zegt Kylian. 'We kunnen samen de speurtocht afmaken, hoe vind je dat?'

Hij vindt mij ook leuk, denkt Isa. Anders zou hij dat nooit vragen. Misschien zijn ze wel de hele dag samen, dat zou hij toch nooit willen als hij haar niet zag zitten.

'Dan moet je morgenochtend wel heel vroeg op,' zegt Kylian, 'want er moet heel wat gebeuren. Morgen moet alles helemaal af zijn.'

Juist fijn, denkt Isa. Ze heeft toch niks beters te doen. 'Hoe laat vertrekken we?'

'Halfacht,' zegt Kylian.

'Als ik maar op tijd wakker ben.' Kylian hoeft niet te weten dat ze haar mobiel kan instellen.

'Als je mij laat zien in welke tent je ligt, maak ik je wakker,' zegt Kylian.

Heel goed, denkt Isa.

'Hoe wil je gewekt worden?' vraagt Kylian. 'Met een ochtendserenade?'

'Dat mag jij verzinnen.' Isa moet er zelf om lachen. Eigenlijk is het niks voor haar om zo poezelig te doen. Maar het moet voor het goeie doel.

10

Terwijl ze over de camping lopen, echoën de woorden van Justin in Annabels hoofd. 'Als jij geen vriendje wilt die met een ander zoent, zou ik maar niet met Kars gaan.' Ze kijkt Kars aan. 'Wat bedoelde Justin nou, waarom zeg je niks?'

'Er valt niks te zeggen,' zegt Romeo. 'In elk geval niks om je druk over te maken. Justin kletst uit zijn nek.'

'Ja,' zegt Stef. 'Je moet maar zo denken, die is ontoerekeningsvatbaar omdat het uit is met Isa. Zag je hoe hij eruitzag? Die barst van de koorts, man.'

'Geen zorgen, ik berg de motor op en dan gaan we vieren dat ons Turbo Racevlot werkt,' zegt Edgar.

'Nee,' zegt Kars. 'We gaan nog niks vieren. Er is wel iets en eh... ik wil dat Annabel het weet.'

'Je bent echt klaar om huisvader te worden. Knettergek! Heb je iets verkeerds gegeten of zo?' vraagt Romeo.

'Je hoeft het niet te vertellen. Ik weet al genoeg. Je hebt met Madelon gezoend.' Annabel moet bijna huilen, maar ze houdt zich groot. 'Daar heb ik niks mee te maken, helemaal niks. Aan mij hoef je geen verantwoording af te leggen.'

'Zie je nou,' zegt Kars, 'daarom wil ik het juist vertellen. Ik heb helemaal niet met Madelon gezoend.'

'Oké, het komt door mij,' zegt Stef. 'We wilden dat Madelon als standbeeld gaat staan om boys te lokken voor onze big party. Ze zei dat ze het wel wilde, maar alleen als ze met Kars mocht zoenen.'

'Wat een trut is dat!' Annabel knalt bijna uit elkaar van kwaadheid. 'Ze weet toch wel dat wij iets hebben?'

'Dat schijnt ze extra spannend te vinden.' Edgar loopt het kantoortje in en bergt de motor op.

'Nou snap ik eindelijk waarom ze niet voor mij heeft gekozen,' zegt Romeo. 'Ik denk dat ik ook maar verkering neem.'

'Het gaat nu niet om jou,' zegt Edgar. 'Moeilijk, hè? Het gaat nu om Kars.'

'Je hebt wel een braaf jongetje aan de haak geslagen, Annabel,' zegt Stef. 'Kars wilde niet eens.'

Annabel pakt Kars' hand. 'Maar je wilt natuurlijk wel dat de disco vol komt.'

'Als je dat nog steeds wilt, mag je wel opschieten,' zegt Romeo. 'Hoe laat word je bij de rivier verwacht?'

'Elf uur,' zegt Stef.

'Ik hoef helemaal niks,' zegt Kars.

'Maar Madelon weet niet beter dan dat jij komt,' zegt Stef. 'Sorry, hoor, ik heb gezegd dat je kwam. Ik kon toch niet weten dat je ineens heilig bent geworden.'

'Geworden?' zegt Kars plechtig. 'Ik was al heilig. Ik ben alleen maar met jullie omgegaan om jullie te bekeren, maar mijn missie is helaas mislukt. Jullie zijn niet meer te redden.'

'Onze party is nog wel te redden,' lacht Annabel. 'Ik weet iets heel goeds: ik ga naar Madelon. Ze vindt het toch zo spannend te zoenen met iemand die verliefd is, dan mag ze met mij zoenen.'

'Dat moet ik zien, twee meiden, cool!' zegt Romeo.

'Dat wordt een grote teleurstelling,' zegt Annabel, 'want ze durft toch niet. Maar ze zal wel gek staan te kijken.'

'Ik denk dat ze woedend wordt,' zegt Kars. 'Dat standbeeld kunnen we dan wel vergeten.'

'Dat kan ik toch ook doen?' zegt Annabel.

'Jij?' Kars schrikt. 'En dan mag ik zeker de hele avond toekijken hoe al die jongens om je heen hangen.'

'Hoor je dat nou, schattig, hè? Het stel van het jaar. Ze horen echt bij elkaar. Die komen nog eens op de buis. Dat het nog bestaat.' Stef doet net of hij Kars een microfoon voorhoudt. 'U begrijpt wel dat wij allemaal heel benieuwd zijn hoe u haar hebt ontmoet.'

Kars moet lachen, maar Stef gaat door. 'Zeg het maar, vertel het maar aan de kijkers thuis. Wat dacht u precies toen u haar zag?'

'Wat moet dat worden,' lacht Edgar. 'Ze hebben nog niet eens verkering.'

'Nee,' gaat Stef door. 'Toen had u nog geen verkering en u mocht toch niet met een ander zoenen voor een goed doel. En nu, o, nu mag u ook niet meer naar een ander kijken. Daarvoor heeft u die donkere bril laten maken.'

'Dat is de reden niet,' speelt Kars mee. 'Ik wil niet dat mensen me herkennen, vandaar die bril. Ik wil niet dat ze weten dat ik de persoon ben die ooit met Stef en Romeo omging. Dat was een zwarte bladzij in mijn verleden. Wat zeg jij, schat?'

Annabel springt op. 'Ik moet naar mijn date, hoe zie ik eruit?'

'Ik wil wel ruilen met Madelon,' zegt Romeo.

'Niks ervan,' lacht Kars.

'We mogen toch wel kijken, hè?' vraagt Stef. 'Dit wil ik echt niet missen.'

'Goed dat ik mijn camera mee heb,' zegt Romeo.

'Je laat het,' zegt Annabel. 'Dan kan ik het niet meer, hoor.'

'Daar loopt Madelon.' Edgar wijst. 'Volgens mij is ze op weg naar de rivier. Die is mooi op tijd. Ze kan niet wachten tot Kars haar kust.'

'Is ze daar echt?' Als Romeo Madelon ziet, haalt hij zijn mobiel uit zijn zak. 'Even mijn verkering bellen!' Hij roept het zo hard dat Madelon het wel moet horen. 'Misschien maak ik dan nog een kansje bij haar,' fluistert hij tegen de anderen en hij houdt de mobiel tegen zijn oor. 'Dag schatje,' zegt hij keihard als Madelon langsloopt. 'Ik wou even zeggen dat ik nog nooit zo verliefd ben geweest. Sinds ik jou heb, interesseert niet één meisje me meer. Ik zie ze niet eens.' Hij praat maar door tot Madelon hem niet meer kan verstaan. 'Zo, als dat niet helpt.'

'Schiet nou maar op.' Stef trekt hem mee. 'Je wilde het toch zien?'

Met z'n drieën hollen ze naar de rivier.

'En jij?' vraagt Annabel aan Kars.

'Oké, ik verstop me ook,' zegt Kars. 'Maar ik weet niet of ik me wel kan inhouden als jullie echt gaan zoenen.'

'Wees maar niet bezorgd. Vlug, je moet je verstoppen, anders ziet ze je.'

Ze zitten met hun vieren in de struiken verstopt als Annabel aan komt lopen.

Madelon heeft duidelijk niet in de gaten wat ze van plan is, want ze hangt uitdagend tegen een paal aan.

'Psssttt...' hoort Annabel als ze langs de struiken komt. Echt Romeo weer, denkt ze. Die kan zich weer niet inhouden. Zonder te kijken loopt ze door naar de steiger.

'Sorry dat ik een beetje laat ben, maar ik wilde me extra mooi voor je maken.'

'Waar heb je het over?' vraagt Madelon.

'We hebben toch een date?' zegt Annabel.

'Wij? Spoor je niet helemaal? Ik heb met Kars afgesproken en niet met jou.'

'Je mag met mij zoenen,' zegt Annabel. 'Dan proef je toch een beetje Kars.'

'Doe normaal!' Madelon trekt een vies gezicht. 'Ik ga niet met een wijf zoenen. Ik ben niet lesbisch. Gadverdamme!'

'Ik dacht dat je zo vlot was,' zegt Annabel. 'Je zoent het liefst met jongens die al iemand hebben, dan durf je dit toch ook wel?'

'Hou op met dat smerige gedoe,' zegt Madelon. 'Ik wil helemaal niet met jou zoenen, je bent hartstikke gestoord.'

'Nou, ik vind jou anders ook behoorlijk gestoord,' zegt Annabel. 'Jij denkt maar dat je iedereen kunt krijgen. Dat is hoogmoedswaanzin. Lastig hoor, als je dat hebt. Ben je er al eens voor naar de psychiater geweest?'

'Ik hoef niet naar zo'n hoe-heet-het,' zegt Madelon beledigd. 'Ik heb helemaal geen hoogmoedswaanzin. Ik kan echt iedereen krijgen. Wil je het zien? Dan moet jij eens kijken. Als ik als standbeeld ga staan, haal ik alle jongens binnen, wedden?'

'Daar geloof ik niks van,' zegt Annabel. 'Maar laat maar zien, dan.'

'Dat dat slome vriendje van jou nou zo'n schijterd is,' zegt Madelon kwaad. 'Volgens mij heeft Romeo ook verkering, dat hoorde ik net.'

'Hou daarover op,' zegt Annabel. 'Die is helemaal gek van een of andere meid die hij gisteren heeft ontmoet. Ze belt hem de hele dag.'

'Dat komt goed uit,' lacht Madelon. 'Als ze dan morgen weer belt kan ze haar vriendje met mij horen zoenen. Haha, ik weet zeker dat ik Romeo zover krijg.'

'Jippie!' klinkt het uit de struiken.

Madelon kijkt verbaasd om.

'Dat zijn die koters weer.' Annabel loopt de struiken in. 'Het is allang bedtijd, kom op, terug naar jullie tent, anders vertel ik het aan jullie ouders.'

Als Madelon echt weg is komen de jongens te voorschijn.

'Top! Wat heb je het goed gedaan!' Kars tilt Annabel op en zwiert haar in het rond.

'Wat ga je doen?' vragen ze aan Romeo die wegloopt.

'Wat denk je, ik heb geen zin om tot morgen te wachten, ik wil nu zoenen.' Romeo gaat Madelon achterna.

Isa heeft haar mobiel op halfzeven gezet. Ze wil wakker zijn als Kylian haar komt wekken. Ze denkt er de hele tijd aan, het is ook zo spannend. Over een paar uur heeft ze misschien al met hem gezoend! Dat is nog wel een raar gevoel, vooral na haar droom. Ze droomde dat het helemaal goed was met Justin. Toen ze wakker werd schoot het meteen door haar heen: het is uit! En toen moest ze huilen. Ze heeft met zichzelf afgesproken dat ze nu niet meer aan Justin mag denken, de hele dag niet. Net heeft ze nog een sms'je aan Annabel gestuurd: 'Je vriendin gaat vandaag zoenen met een hunk van achttien.' Wat zal ze opkijken! Ze heeft vast geen idee wie dat kan zijn. Isa kijkt op haar mobiel. Het is al tien voor zeven. Straks komt hij. Ze heeft het al helemaal uitgedacht. Ze gaat boven op haar slaapzak liggen, op haar zij. En dan trekt ze één been een stukje op. Dat heeft ze een keer in een blad gezien. Ze steunt haar hoofd op haar handen, net als het fotomodel in dat blad. Ze moet wel lachen. Ze lijkt net een barbiepop. Is het niet te erg? Bijna schaamt ze zich, maar dan bedenkt ze dat ze een rol speelt, als in een toneelstuk. Ze pakt een boek en doet of ze leest. Het is een boek vol liefdesverhalen. Dat is juist goed, als Kylian haar dan zo komt wekken vraagt hij vast wat ze leest. Zal ik een stukje voorlezen? zegt ze dan. En dan komt hij naast haar liggen. Isa moet lachen. Hij wou om halfacht vertrekken, wedden dat hij ineens niet meer zo'n haast heeft?

Als Isa weer kijkt is het zeven uur. Nu moet hij komen. Ja, hoor, ze hoort voetstappen. Daar is-ie! Ze doet haar jurkje snel goed en controleert haar been. Alles onder controle. Nu nog doen of ze leest. Ineens vindt ze het wel heel spannend, de voetstappen komen steeds dichterbij. Haar hart slaat over als ze voor haar tent stoppen. Isa houdt haar adem in. Het gaat precies zoals ze had gehoopt. Hij blijft gelukkig niet buiten staan, want de rits van haar tent gaat open. Ze doet of ze helemaal verdiept is in haar boek en niks hoort. Hij is nu vlakbij, dat voelt ze, maar ze kijkt niet op.

'Lieverdje, wakker worden.' Isa zit meteen rechtop. Dat is Kylian helemaal niet.

'O, je bent al wakker,' zegt oma. 'Kylian vroeg of ik je even wilde wekken. Je moet onder de douche, schat, het is zeven uur.

'Ik kom.' Als oma weg is komt Isa overeind. Wat een afknapper! Waarom heeft hij oma gestuurd? Hij is dus verlegen, dat is wel duidelijk. Ze zal wat meer gas moeten geven. Nou, als hij dat wil, kan dat.

Als ze klaar is met douchen kleedt ze zich snel aan. O nee, denkt ze als ze haar gympen wil aantrekken, ze zou haar slippers aan doen. Dan trapt ze zogenaamd ergens in en dan moet hij haar de camping op dragen.

Isa loopt naar de kantine. Als ze binnenkomt neemt Kylian net een hap van zijn stokbrood.

'Goedemorgen, assistent,' zegt hij vrolijk. Maar dan ziet hij haar teenslippers. 'Ga je daarop lopen?'
Isa knikt alsof het de normaalste zaak van de wereld is. 'Ik heb altijd slippers aan.' Ze wist niet dat ze zo goed kon liegen. 'Dat gaat echt niet,' zegt Kylian. 'Voor je het weet trap je ergens in.'
'Nou en?' zegt Isa. 'Ik ben niet zo kleinzerig.'
'Zo kun je echt niet mee,' zegt Kylian. 'Je moet gympen aantrekken.'
Isa ziet dat hij het meent. 'Goed dan.' Ze draait zich om en loopt weg. Het was net zo'n goed idee van die slippers. Wat moet ze nu weer verzinnen? Ze weet het al. Ze verstuikt wel zogenaamd haar voet, dan moet-ie haar toch dragen. Nou ze eenmaal is begonnen met die gekkigheid, zet ze door ook.

Jules zit in zijn tent. Bij elke voetstap schrikt hij. Zou het oma zijn? Pas als de voetstappen de andere kant op gaan haalt hij opgelucht adem. Waar is hij in terechtgekomen? Straks moeten ze naar zijn vader. Het is dat hij geen lafaard wil zijn, anders zou hij ervandoor gaan. Hij durft niet naar zijn vader. Het is toch ook eng. Zijn vader moet weten dat hij de envelop heeft meegenomen. Die kan niet gestolen zijn, want de deur was niet geforceerd. Hoe zal hij reageren als hij Jules ziet? Misschien wordt hij wel gewelddadig. Wat moet hij doen als zijn vader hem aanvliegt? Hij is heus wel sterker, maar hij gaat toch niet met zijn vader vechten? Kon hij maar tegen oma zeggen dat hij niet mee wil, maar hij wil haar niet teleurstellen. Jules ploft zuchtend op zijn luchtbed neer. 'Ik weet niet meer wat ik moet doen, Fro, je moet me helpen.' Hij streelt zijn hond. Het is ook allemaal zo verdrietig. Hij is bang voor zijn eigen vader. Dat is toch gruwelijk. Hij weet nog hoe lief zijn vader vroeger voor hem was en nu durft hij niet eens naar hem toe omdat hij bang is dat hij hem iets aandoet. Hoe heeft het allemaal zo mis kunnen gaan?
Jules pakt de foto van zijn moeder. 'Mam, ik weet het niet

meer,' zegt hij zachtjes. 'Je moet me helpen...' Hij drukt de foto van zijn moeder tegen zich aan.

Je moet doen wat je voelt, jongen, hoort hij zijn moeder in gedachten zeggen. Je moet op je eigen gevoel vertrouwen. Maar dat is het juist, hij weet helemaal niet meer wat hij voelt.

'Ben je zover, jochie?' Jules schrikt op van oma's stem. Hij heeft haar niet eens aan horen komen. Hij kijkt angstig op. Het gaat niet, wil hij zeggen, het kan echt niet. Maar van de zenuwen komt er geen geluid uit zijn keel.

'Ach jochie toch!' Oma slaat een arm om hem heen. Als ze de foto van Jules' moeder tegen zijn borst ziet, krijgt ze zelf ook tranen in haar ogen.

Oma neemt de foto voorzichtig uit zijn handen en kijkt ernaar. 'Ze zal trots op je zijn, Jules. Heel trots, dat je je vader zo hebt beschermd. Maar ze zou het nog fijner vinden als het goed kwam met je vader. Als hij zich niet meer zo diep ongelukkig voelt en weer durft te leven.'

'Dat kan niet meer,' zegt Jules.

'Misschien niet, maar ik wil er alles aan doen om het te proberen. Zullen we dat tegen je moeder zeggen? En misschien, heel misschien kan ze ons een beetje helpen. Zullen we haar meenemen?' Oma streelt Jules' wang. Frodo likt haar maar.

'Dan gaan we met z'n vieren naar je vader. Jij, Frodo en je moeder en ik.'

Jules voelt dat hij warm wordt. Het is net of hij zijn moeders stem hoort. Doe maar, mannetje, je kunt haar vertrouwen. Even aarzelt hij, dan staat hij op.

Jules loopt langs de kantine. Hij kijkt expres de andere kant op, maar Axel heeft hem al gezien.

'Kijk nou eens, jongens,' roept die. 'Ons crimineeltje wordt afgevoerd. Eindelijk verstandig.'

'Dat moet ik zien!' Romeo en Stef en Edgar rennen naar buiten. Kars en Annabel komen er ook bij staan.

'Je hebt gelijk,' zegt Kars als hij ziet dat Jules in de auto van oma stapt. 'Daar heb ik nog niks van gehoord.'

'Je verloofde wordt afgevoerd,' zegt Axel, als Nona en Brian eraan komen.

'Hoe bedoel je?' Nona schrikt.

'Kijk maar.' Axel wijst naar Frodo, die in de auto springt. Hoe kan dat nou? Nona kijkt Brian aan. Oma stond toch achter hen?

Nona rent naar Jules' tent.

'En?' vraagt Brian, die zich ook dood is geschrokken.

'Alles ligt er nog,' zegt ze opgelucht.

'Die zien we niet meer,' zegt Axel. 'Zo iemand hoort hier ook niet.'

'Ik zou maar een beetje inbinden,' zegt Brian. 'Jules komt gewoon terug.'

'Die is goed.' Axel lacht Brian in zijn gezicht uit. 'Jij bent ook maf, hè? Die gast hoort niet op een camping. Daar is de jeugdgevangenis voor. Het verbaast me niks dat-ie crimineel is geworden. Zijn vader is toch ook zo'n zuiplap?'

'Zeg dat nog eens, dat Jules crimineel is,' zegt Brian.

'O, jij komt nog voor hem op ook,' lacht Axel. 'Dat spoort toch niet, jongen, of heb je soms aandelen in die vunzige firma van je vriendje?'

Dat had Axel niet moeten zeggen. Brian haalt uit en geeft hem een stomp in zijn maag.

'Au, klootzak!' Axel wil terugslaan, maar Edgar grijpt hem vast. 'Je blijft van mijn broer af.'

'Zo is dat, er wordt hier niet gevochten.' Kars pakt Brian beet. Brian maakt zich los en loopt weg. Wat is er met hem? Hij heeft nog nooit iemand geslagen. Toen ze Edgar beschuldigden werd hij ook kwaad, maar nu haalde hij echt uit en niet zo'n beetje ook. Hij trilt nog na van woede. Waarom maakt hij zich zo druk als het om Jules gaat?

Nona komt hem achterna. 'Die was raak. Ik ben trots op je. Je bent wel een echte vriend.'

Brian zucht opgelucht. Het is dus wel normaal.

'Wat een superteam zijn wij!' Kylian kijkt trots naar de mand met rode lintjes. Er zitten er nog maar twee in. De rest hebben ze al opgehangen en het papier is ook bijna op. Ze hoeven nog maar één opdracht te bedenken.

'Voor de lunch zijn we klaar.'

Isa schrikt. Dan al? Als ze nog met hem wil zoenen mag ze wel opschieten. Ze hebben ook zo gelachen. Elke opdracht die ze bedachten heeft Kylian zelf uitgevoerd en hoe. Halverwege de speurtocht moeten ze een bekend liedje zingen. Kylian zong 'Op een grote paddestoel', maar niet zomaar. Hij maakte er een complete musical van met heel maffe danspasjes, alsof hij een wereldberoemde musicalster was. De tranen rolden over Isa's wangen. Maar intussen is er nog niks tussen hen gebeurd, behalve dat ze wel heeft gemerkt dat hij haar hartstikke leuk vindt. Hij heeft wel drie keer gezegd dat het jurkje haar zo mooi staat en hij zegt ook telkens dat ze zo'n goed team zijn en dat hij veel vaker met haar wil samenwerken. Hij noemt haar prinses. Heel slim van je, denkt Isa. Als ik de prinses ben is hij zeker de prins die me wakker mag kussen.

'Prinses, hebt u het ook zo heet!' roept Kylian. 'U vindt het toch niet erg als ik mijn T-shirt uittrek?'

Wat doet hij dat nou weer raar. Zijn T-shirt blijft om zijn hoofd steken. 'O, prinses, bevrijd me alstublieft!' jammert hij. Isa trekt het T-shirt lachend over zijn hoofd.

Ze kijkt naar zijn gebruinde borstkas. Je kunt wel zien dat hij elke dag sport. Zijn buik is net een wasbord en hij is ook heel breed. Isa denkt aan Justin. Die is veel witter en ieler. Ze voelt zich meteen weer rot, want ze was maar wat dol op dat lieve kippenborstje van hem. Het ziet er ook zo schattig uit, vooral omdat hij altijd zo stoer doet.

Kylian heeft een heel mooie mond, dat viel haar meteen op, net een filmster. Maar of ze nou zin heeft om die mond te kussen? Niet zeuren, denkt ze, gewoon doen, je hoeft niet met hem te trouwen, het is alleen voor de party.

'Hier komt onze laatste opdracht, prinses.' Kylian buigt voor haar. 'U mag zeggen wat.'

'Eh… Ik weet het al, ze moeten zeggen hoe de camping heet,' zegt Isa. 'Binnen tien tellen.'

Kylian schrijft het op en hangt het briefje met de opdracht aan de struiken.

'Een kleine test.' Hij komt heel suf aanlopen. 'O, een opdracht.' Hij vouwt het papier open. 'Hoe heet de camping… en ik moet het binnen tien tellen beantwoorden… O, hoe was het ook alweer? Ik moet het weten.' Hij doet heel gestrest. 'Help, ik heb nog maar vijf tellen. Nog vier… nog drie. Twee… nog één tel. Oo… ik weet het niet, ik weet niet hoe de camping heet…' En dan rent hij gillend weg. 'Mama…' Hij gaat huilend met zijn duim in zijn mond op een steen zitten.

Dat doe je expres, denkt Isa. Heel bijdehand en dan moet ik je natuurlijk troosten en dan… Net als ze naar hem toe wil gaan springt hij op. 'Proficiat, prinses! Alle opdrachten zijn klaar!'

Dat had je gedroomd, denkt Isa. We hebben nog één opdracht, een heel spannende. Ze kijkt naar Kylian die een eindje voor haar loopt. Nou heb je spijt dat je niet op die steen bent blijven zitten, hè? denkt ze. Hij werd ineens bang. Misschien denkt hij wel dat hij niks met haar mag omdat ze veel jonger is. Dat is het, hij is bang dat haar ouders kwaad worden en hem ontslaan. Dat gaat ze hem niet zeggen, hij hoeft niet te weten dat ze hem doorheeft. Ze weet er wel wat op. 'Als jij verliefd bent, vind je leeftijd dan belangrijk?'

'Helemaal niet,' zegt Kylian. 'Het gaat er mij om of ik iemand leuk en spannend vind. En niet hoe oud-ie is.'

Zie je, denkt Isa. Hij zegt zelf dat het niet uitmaakt.

'Mij maakt het ook niet uit, en mijn ouders helemaal niet. Ik heb wel eens een veel ouder vriendje gehad.'

'Dat snap ik best,' zegt Kylian.

'Dat een jongen van achttien verliefd op mij kan zijn?'

'Ja, wie wil er nou geen verkering met een prinses. Bovendien zijn prinsessen leeftijdsloos.'

Yes! denkt Isa. En nou met volle kracht vooruit. Ze gaat iets langzamer lopen zodat de afstand tussen hen groter wordt en

dan laat ze zich op de grond vallen. 'Au, au mijn voet!' kreunt
ze. Ze leeft zich zo in haar rol in dat ze het nog gelooft ook.
'Wat is er?' Kylian zit meteen naast haar.
'Ik heb mijn voet verstuikt… Au…!'
Kylian wrijft over haar voet. 'Doet dit pijn?'
'Au!' kreunt Isa.
Bij alles wat hij probeert zegt ze dat het zeer doet.
'Probeer eens te staan.'
'Dat gaat niet.' Isa slaat haar armen om zijn nek zodat hij haar
wel op moet tillen. Als onze gezichten zo dicht bij elkaar zijn
moet hij me wel zoenen, denkt ze. Terwijl Kylian haar optilt
vlijt ze haar hoofd tegen zijn borst. Maar Kylian zoent haar
helemaal niet en zet haar voorzichtig neer.
'De prinses kan niet meer lopen, de prinses moet gedragen
worden door door…' Isa wacht tot Kylian zegt dat hij de prins
is en haar in zijn armen neemt.
'Ja!' roept Kylian. 'De prinses moet gedragen worden door het
paard. Dan ben ik het paard.' Hij doet zijn armen wijd en gaat
door zijn knieën. 'Spring er maar op, prinses!'
Ja, denkt Isa. Dit is pas leuk. Gierend van de lach zit ze op zijn
rug. 'Vort, paard!' roept ze.
'Hotsik…! Hotsik!'
'Hu… hu…' Het paard doet of hij steigert. Isa ligt slap. Eigenlijk is dit veel leuker dan dat stomme verliefde gedoe, denkt ze,
maar als hij haar zo ziet denkt Justin echt niet dat ze verliefd
op elkaar zijn.
'Wacht, de pijn trekt weg.' En Isa glijdt heel langzaam van het
paard. Ze beweegt haar voet en doet voorzichtig een stap.
'Het gaat al, ik denk dat ik wel kan lopen.'

Justins rugtas staat midden in zijn tent, halfvol. Als een robot
pakt hij iets op en stopt het erin. Het is net alsof hij een heel
harde klap op zijn kop heeft gehad, alsof zijn hersens nog
maar voor de helft werken. Nu staat-ie alweer minuten lang te
staren in het niets. Hij moet opschieten. Zo meteen komt zijn

moeder terug uit het dorp en dan moet hij alles hebben ingepakt. Ze had niet genoeg cash om de camping te betalen, daarom is ze even pinnen. Als dat is geregeld, gaan ze weg. Ze gaan naar Spanje, maar het maakt Justin geen klap uit. Of hij nou in Nederland zit of in Spanje, het is uit met Isa. Hij kan nog steeds niet geloven dat het echt voorbij is tussen hen. Maar hij zal wel moeten. Als Isa het niet meer ziet zitten, dan is het zo. Hij heeft geprobeerd haar terug te krijgen. Hij heeft hun lievelingsliedje aan haar gegeven om haar te laten zien hoeveel ze voor hem betekent. Het heeft niks geholpen. Er zit niks anders op. Hij gaat niet nog eens beginnen, dan lijkt het wel of hij haar stalkt. Het is over en uit. Daarom hebben ze besloten om vandaag nog op te breken.

Justin laat zijn luchtbed leeglopen. Buiten hoort hij zijn moeder de auto starten. Ze was toch allang weg? Justin kijkt naar buiten. Ja, hoor, ze is er nog en start opnieuw de auto, maar die slaat niet aan.

'Doet-ie het niet?'

'Ik snap er niks van.' Zijn moeder stapt uit en doet de motorkap omhoog. 'Ik heb 'm voor de vakantie na laten kijken.'

Er komen een paar mannen aan. De buurman is er ook bij. 'Heb je hulp nodig? Ik heb startkabels in mijn auto liggen.' Ja ja, denkt Justin. Hij heeft heus wel gemerkt dat de buurman zijn moeder een stuk vindt.

'Ik weet niet of het de accu wel is,' zegt moeder.

Nu komt Ad er ook bij. 'Als je even geduld hebt, meet ik je accu door.'

De buurman probeert de auto te starten. Wat een macho, denkt Justin. Alsof zijn moeder dat niet kan.

'Hij doet helemaal niks,' zegt de buurman.

Nee, dat wisten we al, denkt Justin.

Ad zet het metertje op de accu. 'Er is niks mee aan de hand, de accu is geladen. Mag ik even? Het klinkt alsof het de ontsteking is,' zegt hij als hij de auto start. 'Dan zal-ie toch naar de garage moeten.'

'Ik sleep je wel even,' zegt de buurman. Het klinkt wel erg gretig, zeg, denkt Justin, maar zijn moeder maakt er dankbaar gebruik van. De buurman haalt een sleepkabel uit zijn auto en haakt die vast.

Als ze weg zijn gaat Justin zijn tent in. Het is maar goed dat ze vertrekken, anders was het misschien nog iets geworden tussen die twee. Op zo'n loser zit hij niet bepaald te wachten, dan gaat hij bij zijn vader wonen.

Inmiddels is zijn luchtbed leeggelopen. Hij vouwt het op en stopt het in zijn tas. Nu nog de laatste spulletjes. Tussen zijn cd's vindt hij een foto van Isa. Justin kijkt ernaar. Hij staat een tijdje met de foto in zijn hand. In zijn hoofd klinken de woorden van zijn moeder. 'Als ik jou was zou ik haar foto wegdoen. Anders kwel je jezelf ermee.' Justin aarzelt, maar hij kan het niet en hij stopt de foto in zijn tas.

Wat heeft hij veel meegenomen! Eindelijk is alles ingepakt. Z'n tent is nog klam van de dauw, die laat hij maar even staan. Misschien kan hij in de grote tent nog iets opruimen. Inderdaad, de afwas staat er nog. Justin haat afwassen, maar hij vindt het flauw om de afwas voor zijn moeder te laten staan. Hij stapelt alles op en neemt het mee naar de spoelbak. Hij wil het neerzetten, maar een paar vrouwen zijn aan het wassen en houden alle kranen bezet. Justin tuurt over de camping, maar Isa ziet hij niet. Zou ze weten dat hij vertrekt? Natuurlijk weet ze dat, want Ad weet het ook. Justin kan niet geloven dat ze hem zo laat gaan.

'Je kunt erbij, hoor!' roept een vrouw.

Het is gelukkig niet zoveel, hij is zo klaar. Als hij met een bak vol schone spullen naar de tent loopt, ziet hij de auto van de buurman aankomen. Dan zal zijn moeder er straks ook wel zijn. Maar als de auto dichterbij komt, ziet hij dat zijn moeder voorin zit. Jules zet de spullen voor de tent neer en loopt naar zijn eigen tent. Die is nu wel opgedroogd en hij trekt de haringen eruit.

'Laat maar staan!' roept zijn moeder uit het autoraam. 'De garage heeft een onderdeel besteld, het kan vier dagen duren voor dat er is.'

Justin staat daar maar. Hij weet niet of hij blij of verdrietig moet zijn.

11

Jules zit naast oma in de auto. Hij hoopt stiekem dat zijn vader niet thuis is, maar als ze aan komen rijden staat de rode pick-up voor de deur. Oma parkeert haar auto erachter. Ze pakt Jules' hand en knijpt erin. 'Zullen we dan maar aanbellen?'

'Ik heb een sleutel.' Jules haalt hem uit zijn zak. Zijn vingers trillen. Oma ziet het, maar ze zegt er gelukkig niks over. 'Misschien zit de knip erop, dan kunnen we er niet in.' Jules steekt de sleutel in het slot. Als hij hem omdraait gaat de deur open. Jules schrikt van de stank die hem tegemoet komt. Door de openstaande keukendeur ziet hij stapels borden met aangekoekt eten en overal staan lege flessen. Wat een ravage heeft zijn vader gemaakt. Logisch dat het stinkt.

Frodo wil naar binnen rennen, maar Jules pakt hem vast. 'Ik denk dat we jou beter in de auto kunnen laten, anders ben je morgen ziek.'

'Dat denk ik ook, kleine vuilnisbak.' Oma doet de laadklep open zodat Frodo in de auto kan springen.

Jules loopt door de gang en steekt voorzichtig zijn hoofd om de kamerdeur. Is dat zijn vader, daar in de stoel midden tussen de troep? Wat ziet hij eruit! Vroeger was hij altijd zo'n ijdel mannetje en nu heeft hij zich al in geen dagen geschoren. En zo te ruiken mogen zijn kleren wel eens gewassen worden.

'Hoi, pap,' zegt Jules. Het duurt even voor het tot zijn vader doordringt, maar dan weet hij het ineens. 'Ben jij het? Heb jij mij bestolen?'

Hier was Jules nou bang voor. Van de zenuwen weet hij niks te zeggen.

'Zie je wel, ik zie het aan je kop.' Zijn vader vliegt op en komt dreigend op hem af. 'Je hebt je eigen vader bestolen. Hoe kun je...'

Jules wordt bang en hinkt de gang op, maar met zijn krukken kan hij niet zo snel wegkomen. Zijn vader zou hem zeker achterna zijn gegaan als oma niet voor de deur was gaan staan.

'Rustig maar, we zijn hier niet gekomen om ruzie te maken. Jules al helemaal niet.'

'Hij heeft me bestolen,' zegt Jules' vader. 'Mijn eigen zoon.' Oma duwt hem langzaam terug in zijn stoel. 'Die jongen heeft het geld niet van u gestolen. Hij heeft het bij u weggehaald, omdat hij bang was dat de politie het zou vinden. En dan had u grote problemen gekregen.'

Jules wacht gespannen af. Waarom blijft het zo stil? Waarom zegt zijn vader niks?

'Politie...' hoort hij hem eindelijk zeggen.

'Ja,' zegt oma. 'Wat dacht u nou, dat Ad het erbij liet zitten dat er honderden euro's verdwenen zijn? En u bent die avond van de diefstal gesignaleerd. De politie zou u zeker hebben ondervraagd. Begrijpt u nu dat Jules zich zorgen maakte? En dat hij alleen maar het beste met u voor heeft?'

Weer blijft het stil. Jules houdt zijn adem in. Als zijn vader maar voor rede vatbaar is. Voor hetzelfde geld begint hij tegen oma. Wat moet hij dan doen? 'Toe nou, pa,' fluistert hij, 'word niet kwaad.'

'Het was stom van me,' hoort hij zijn vader zeggen. 'Het was hartstikke stom van me.'

Jules haalt opgelucht adem. Zijn vaders stem klinkt ineens veel zachter. Nu kan het niet meer misgaan. Maar hij houdt zich toch nog maar even weg. Je weet nooit wat er gebeurt als hij ineens binnenkomt.

'Ik had het niet moeten doen,' klinkt het weer vanuit de kamer. 'Maar het geld is terug.'

'Dankzij Jules,' zegt oma. 'En daar zijn we blij om. En ik vind het fijn dat het u spijt, maar het probleem blijft dat u toch hebt gestolen.'

Jules vraagt zich af waarom oma doorgaat. Zijn vader heeft toch gezegd dat het hem spijt? Zo meteen gaat het toch nog mis. Maar oma heeft waarschijnlijk een goeie uitwerking op zijn vader, want die blijft rustig.

'Er is niks aan de hand, ik betaal terug wat er mist. U krijgt het allemaal van me, dat beloof ik.'

Zeg nou maar dat het goed is, denkt Jules. Maar dat is oma niet van plan.

'Ik ben bang dat u het geld niet aan mij hoeft terug te betalen, maar aan de politie.'

Jules schrikt minstens even erg als zijn vader. Dit is niet eerlijk. Oma heeft hem erin laten lopen. Ze had beloofd de politie erbuiten te houden. Zo snel hij kan loopt hij de kamer in en gaat pal naast zijn vader staan. 'U mag mijn vader niet aangeven.'

Oma kijkt hem aan. Jules herkent die blik. Als ze zo kijkt heeft ze een plan, maar wat voor plan?

'Jules heeft gelijk,' zegt oma. 'Het zou ook veel fijner zijn als we de politie erbuiten konden houden, ook voor Jules.'

'Doet u dat alstublieft!' Zijn vader smeekt het bijna.

'Ik wil niks liever,' zegt oma. 'Maar dat kan alleen als ik zeker weet dat het nooit meer gebeurt.'

Jules snapt er nog steeds niks van. Wat wil ze nou?

'Het gebeurt ook nooit meer, dat zweer ik u.'

'Weet u wat nou zo lastig is?' zegt oma. 'Ik vertrouw u helemaal, behalve als u dronken bent, want dan bent u de belofte vergeten. Als u nooit meer zou drinken is er niks meer aan de hand.'

Ineens heeft Jules door waar oma naartoe wil.

'Ik drink ook niet meer,' zegt zijn vader. 'U hebt gelijk, ik moet er nodig vanaf. Er komt alleen maar ellende van. Ik ben er al mee begonnen. Kijk maar, er is hier geen druppel alcohol in huis.'

'Heel fijn,' zegt oma. Jules hoort aan haar stem dat ze er niks van gelooft. Hijzelf trouwens ook niet.

'Het komt heel goed uit dat u er zelf ook vanaf wilt,' zegt oma. 'Maar dat kunt u nooit alleen, daar hebt u hulp bij nodig.'

'Die heb ik ook.' Vader kijkt naar Jules. 'Samen lukt het ons wel, toch, jongen?'

'Nee,' zegt oma. 'U hebt recht op professionele hulp en die kunt u krijgen in een kliniek. Ik weet niet zo gauw waar u terecht kunt, maar ik wil het graag voor u regelen.'

'Een kliniek?' roept Jules' vader uit. 'Moet ik me laten opnemen? Dat vind je toch niet goed, jongen, dat doe je je vader toch niet aan?'

Jules vindt het moeilijk om zijn vader zo te zien. Het liefst zou hij hem zijn zin geven en zeggen dat het niet hoeft. Dat ze het best samen kunnen. Maar daar helpt hij zijn vader niet mee, dat weet hij maar al te goed. Hij heeft zelf op internet gelezen wat er gebeurt als zijn vader niet snel afkickt.

'Het zou wel fijn zijn als je dat deed, pa.' Jules slaat een arm om zijn vader heen. 'Als jij niet meer drinkt, kan ik weer bij je wonen. En dan zorgen we er samen voor dat de winkel weer open kan. Doe het voor mij, papa, voor mama en mij.'

Hij kijkt zijn vader aan, maar die schudt zijn hoofd.

'Denk er maar rustig over na,' zegt oma. 'Over een week vraag ik het u nog eens.'

'Toe nou, pap,' zegt Jules. 'Je kunt op me rekenen. Ik kom je daar elke dag opzoeken. Dan zijn we weer samen. Jij, Frodo en ik.' Maar zijn vader geeft geen antwoord.

'Laat je vader maar rustig denken,' zegt oma. 'Hij moet het zelf beslissen, daar kunnen wij hem niet bij helpen. We kunnen wel de rommel opruimen en het hier fris maken, zodat hij beter kan denken.' Oma zet de openslaande deuren wijd open. Daarna stapelt ze de vieze borden op elkaar en brengt ze naar de keuken. Jules haalt een vuilniszak uit de kast, raapt de lege flessen op en stopt ze erin.

'Als jij afwast,' zegt oma als hij klaar is, 'haal ik een stofzuiger door het huis.'

Jules en oma werken keihard. Ze zetten het hele huis op z'n kop. En Jules' vader zit maar voor zich uit te staren in de stoel. Hij reageert nergens op, ook niet als oma zijn voeten één voor één optilt om eronder te zuigen.

Voor de zoveelste keer lopen Brian en Nona naar de parkeerplaats, maar de auto van oma is nog niet terug.

'Ik snap niet dat het zo lang duurt,' zegt Nona. 'Waar zijn ze wel naartoe?'

Om de tijd door te komen, helpen ze Isa's moeder met de bestellijst van de kantine. Wat gaat dat hard! Vorige week heeft Hanna alles nog aangevuld, en nu is er alweer een megalijst van wat er nodig is.

'Fijn dat jullie me helpen,' zegt Hanna. 'Oma is er niet en voor de middag moeten de washokken nog schoon.'

'Daar wil ik ook wel bij helpen,' zegt Nona.

'Dan ga ik surfen op het web,' zegt Brian. Daar heeft hij wel zin in, anders loopt hij toch maar te piekeren.

'Klopt het wat je hoopte?' vraagt Nona.

'Zover ben ik nog niet,' zegt Brian. 'Het is een hele zoektocht. Misschien kan Google me verder helpen.'

Als de auto van oma tegen de middag nog steeds niet terug is, haalt Nona Brian achter de computer vandaan.

'Is-ie er nog niet?' Brian is zo ingespannen bezig dat hij de tijd is vergeten. Hij slaat de gegevens op en loopt met Nona mee naar buiten.

'Stel je voor dat Axel gelijk heeft, en dat Jules wel ergens anders heen wordt gebracht,' zegt Nona.

'En zijn spullen dan?' vraagt Brian.

'Misschien dat Ad die moet nabrengen, dat kan toch?'

Brian schudt beslist zijn hoofd. 'Oma stuurt Jules niet weg.'

'Ze hoeft hem ook niet weg te sturen,' zegt Nona. 'Ze vindt misschien dat het zo niet langer gaat. Iedereen is kwaad op hem en er hoeft maar iets kwijt te zijn of hij krijgt de schuld.'

'Waarom zou ze dat gisteren dan niet hebben gezegd? Ze...'

'Wacht eens,' valt Nona Brian in de rede. 'Ze liep wel ineens weg, ze had een ingeving of zo. Ik weet het al. Ze heeft vast met Pierre gesproken en die heeft natuurlijk gezegd dat Jules maar naar hem moet komen.'

'Je bedoelt dat oma hem nu op de trein zet? Maar dan gaat Jules helemaal naar Marseille...' Brian raakt in de war. Hij merkt niet eens dat er een frisbee voor zijn voeten belandt en trapt erop.

'Hé!' roepen een paar kinderen. Hè hè, Brian heeft iets door. Hij raapt de frisbee op en gooit hem terug. Er gaat van alles door hem heen. Timboektoe zonder Jules... Dat kan helemaal niet. Hij is juist zoiets spannends op het spoor. Misschien komt de muurschildering wel uit de ijstijd. Dat zou fantastisch zijn, dan worden ze beroemd. Daar moet Jules bij zijn!

Nona is al net zo geschrokken als Brian. Verloren slenteren ze over de camping.

'Je bent een beetje te voorbarig geweest,' horen ze Romeo zeggen als ze langs de kantine komen. 'Jules is niet afgevoerd. Kijk maar, daar komt-ie weer aan.'

'Wat...?' Nona en Brian draaien zich met een ruk om. Nona geeft een gil van blijdschap als ze Jules voor in de auto ziet zitten en rent ernaartoe. Zodra Jules is uitgestapt omhelst ze hem. 'Ik dacht dat je naar Marseille was.'

'Nee, hoor,' zegt oma, 'Jules is er weer. En we hebben iets heel belangrijks te vertellen.'

'Dat hij spijt heeft zeker,' zegt Axel. 'Laat maar zitten.'

'Jules hoeft helemaal nergens spijt van te hebben,' zegt oma. 'Hij is wel degene die het geld heeft teruggelegd, maar hij heeft het niet gestolen.'

'En hij zei het zelf,' zegt Romeo.

'Jules heeft iemand in bescherming genomen,' zegt oma. 'Iemand die zich niet kan verweren.'

'Dus...' stamelen ze.

'Dus jullie begrijpen het goed,' zegt oma. 'Jules is onschuldig.'

'Ik wist het...!' Nona slaat een arm om Jules en kust hem. 'Ik wist dat je het niet had gedaan.'

'Ik ook,' zegt Brian blij.

De anderen staan daar maar, stomverbaasd. Niemand weet iets te zeggen. Zelfs Romeo heeft het even niet over zoenen met Madelon.

'Dan moeten we Jules maar een bezoekje brengen, hè,' zegt Edgar. 'Makkelijk zat, we hebben wel iets goed te maken.' Met z'n allen lopen ze in de richting van Jules' tent. Kars aarzelt. Nu ze toch naar Jules gaan kan hij er mooi even tussenuit. Hij loopt met de anderen mee en als hij zeker weet dat niemand op hem let, schiet hij achter de kantine langs de andere kant op. Met Jules maakt hij het een andere keer wel goed, eerst zijn plan uitvoeren. Dagen heeft hij lopen piekeren hoe hij Annabel verkering moest vragen, maar nu weet hij het! Hij rent naar zijn tent, trekt zijn nieuwe spijkerbroek aan en een heel stoer hemdje. Even controleren of hij er wel goed uitziet. Hij pakt zijn spiegel en kijkt erin. Zijn haar is helemaal ingestort. Hij doet er nog wat extra wax in. 'Komt er nog wat van,' zegt hij tegen zichzelf. 'Als je nog lang wacht, zijn ze alweer terug.' Hij bergt de spiegel op en rent zijn tent uit. Ineens staat hij stil. Zijn spandoek! Wat suf! Hij holt terug, trekt zijn luchtbed naar voren en graait erachter. Hij houdt een rol in zijn hand waar twee stokken uit komen. Voor de zekerheid heeft hij het spandoek maar goed verstopt. Stel je voor dat Stef of Romeo het hadden zien liggen, dan was alles verpest. Met de rol onder zijn arm holt hij naar zijn vaders kantoor, pakt een peddel en rent naar de rivier. Daar maakt hij de dichtstbijzijnde kano los, stapt erin en peddelt de rivier af.

Hij heeft nog een flink stuk te gaan. Voorbij de bocht, waar de rivier op haar smalst is, wil hij het spandoek over het water spannen. Gisteren heeft hij uitgezocht wat de beste plek is. Het komt mooi uit. Juist op die plek steken aan beide kanten takken uit de rotsen en precies op de juiste hoogte, zodat Annabel de tekst goed kan lezen als ze aan komt varen. Het is alleen een kwestie van even omhoogklimmen en het spandoek vastbinden. Ook dat heeft hij bekeken, maar het is prima te doen.

Het lastigste was om het spandoek te maken. Nergens kon hij een oud doek vinden. Met de verhuizing heeft zijn moeder alles weggegooid. Uiteindelijk heeft hij het aan oma gevraagd.

'Ik heb nog wel een oud laken voor je,' zei ze. Wat is ze toch tof. Ze vroeg niet eens waar het voor was.

Vanochtend heel vroeg is Kars de loods in gegaan en toen heeft hij met een spuitbus de tekst erop gespoten. Het duurde nog best lang tot het droog was, en al die tijd moest het daar blijven liggen. Hij had geluk dat er niemand kwam. Na het ontbijt heeft hij het opgerold en mee naar zijn tent genomen. Zijn hart begint nu al sneller te kloppen als hij bedenkt hoe Annabel zal kijken. Het is best een eindje varen, maar hij wil niet dat iemand het ziet. De meeste mensen blijven dicht bij de camping. Een enkeling gaat wel eens wat verder, maar voorbij de bocht heeft hij nog nooit iemand gezien.

Kars moet lachen als hij aan zijn vrienden denkt. Die zitten nu bij Jules. Ze zullen hem heus wel missen, maar ze raden nooit wat hij aan het doen is. Gisteren had hij het haast verraden.

'Wanneer vraag je nou eens verkering aan die meid,' vroeg Edgar.

Morgen, had hij bijna gezegd, maar hij slikte het nog net in. Hij zei maar gauw dat hij er nog niet uit was omdat het iets heel speciaals moest worden. Zijn vrienden lachten hem uit. Als ze horen wat hij heeft bedacht, piepen ze wel anders. Kars zucht. Het lijkt wel of de stroming hier sterker wordt. Hij houdt zijn kano nog maar net in balans. Hè hè, daar komt eindelijk de bocht. Voor de zekerheid kijkt hij achterom, maar niemand volgt hem.

Isa zit in haar tent als ze voetstappen hoort. Ze herkent ze meteen. Annabel! denkt ze blij. Zie je wel, Annabel laat haar niet stikken, die heeft haar sms'je gekregen en is vast razend nieuwsgierig wie die jongen van achttien is. Nou, dat krijgt ze uitgebreid te horen.

'Haha, ik weet waar je voor komt,' lacht Isa.

'Ja.' Annabel ploft op Isa's luchtbed neer. 'Ik zit er hartstikke mee.'

'Hoezo?' vraagt Isa. 'Er is niks om je zorgen over te maken.

Het is echt een scheetje.'

'Alsof ik dat niet weet,' zegt Annabel. 'Maar hij heeft nog steeds geen verkering gevraagd.'

'Hè...?' Het duurt even voordat Isa doorheeft dat het helemaal niet over haar en Kylian gaat. Het gaat weer over Kars. 'Ben je daarvoor gekomen?'

Annabel is zo met zichzelf bezig dat ze de teleurstelling in Isa's stem niet hoort.

'Niet alleen daarvoor,' zegt Annabel. 'Er is nog iets belangrijks.'

'Dat dacht ik ook.' Isa is opgelucht. 'Je vond het zeker wel spannend toen je het hoorde.'

'Nou, eerder een blamage,' zegt Annabel. 'We dachten toch allemaal dat Jules het geld had gepikt?'

'Waar gaat dit nou weer over?' zegt Isa verward.

'Dus je weet het nog niet? Jules heeft het geld niet gestolen.'

'Wat...?' Isa kijkt haar aan. 'Vertel op, hoe kom je daar nou bij?'

'Je oma heeft het uitgezocht.' Het is duidelijk dat Annabel niet veel zin heeft om erover te vertellen. 'Ik zit er zo mee,' zegt ze weer.

'Dat snap ik wel,' zegt Isa. 'Ik schaam me ook dood. Ik heb er nog ruzie om gemaakt met Nona.'

'Dat bedoel ik niet,' zegt Annabel. 'Ik bedoel dat ik ermee zit dat Kars maar geen verkering vraagt. Je moet me helpen, Isa. Zometeen is de vakantie voorbij.'

Isa kijkt haar vriendin aan. Het is echt niet te geloven, denkt ze. Je bent echt alleen maar met Kars bezig. Zo kent ze Annabel helemaal niet. Ze vraagt niet eens naar haar. Dat kan niet, er is vast iets misgegaan. En dan weet ze het. 'Heb je mijn sms'je wel gekregen?'

Annabel schrikt. 'Welk smsje? Had je iets over Kars geschreven?'

'Nee,' zegt Isa. 'Over mezelf, dat ik...'

'O, dat,' zegt Annabel opgelucht. 'Over die jongen uit het café

in het dorp. Ik schrok al. Ik dacht dat Kars iets tegen jou had gezegd. Als dat zo is moet je het mij eerlijk vertellen, hoor.'
Isa is verbijsterd. 'Ik ben helemaal niet op die jongen uit het café. Het is een ander. Hij is ook op de camping.'
Annabel reageert niet.
'Hallo, hoor je me wel?' vraagt Isa.
'Ja, eh... hij is op de camping, dat zei je toch. Ja, Justin is inderdaad nog op de camping en hij blijft voorlopig ook nog een tijdje. Hun auto is kapot.'
Isa weet niet of ze boos moet worden. Wat is er met Annabel gebeurd? Het lijkt net alsof ze niks meer met elkaar hebben.
'Ik, eh... ik vind niet dat het goed gaat zo... Ik...' Isa zou veel meer willen zeggen. Dat Annabel haar helemaal niet heeft gesteund toen het uit was met Justin. Ze zou wel tegen haar willen schreeuwen: Weet je wel hoe eenzaam ik me voel? Wij hadden al drie maanden verkering, hoor. En nu is het uit, dat is hartstikke erg. En jij komt alleen nog maar naar me toe om over Kars te praten. Je laat me helemaal vallen... Maar ze voelt dat ze dan moet huilen, dus houdt ze haar mond.
'Je hebt gelijk, het gaat ook niet goed. Kars had allang verkering aan mij moeten vragen. Maar hij heeft jou dus ook niks gezegd. Dat wou ik even weten.' Annabel staat op en loopt de tent uit.
Isa kijkt haar vriendin na. Dit kan niet, denkt ze. Je hebt niks gevraagd, helemaal niks. En dan voelt ze zich ineens heel erg eenzaam.

Het is gelukt! Kars kijkt tevreden naar het spandoek. Prachtig! Wat zal Annabel opkijken als ze het ziet. Romantischer kan toch niet. Hij meert aan op het strandje, pakt zijn mobiel en zoekt het sms'je op dat hij voor Annabel heeft bedacht. Eén, twee... bij drie stuurt hij het weg. Vol spanning kijkt hij naar het scherm. 'Wauw!' roept hij als er staat dat het is verzonden. 'Kom maar gauw hierheen, *cutie*.' En in zijn nieuwe spijkerbroek en zijn stoere hemdje gaat hij op het strandje liggen.

'sos-bericht,' leest Annabel. 'Stap gauw in een kano, en vaar de stroom af, tot je mij ziet. Kars.'

Annabel wordt bleek. Vlug, denkt ze. Ik moet erheen, maar niet alleen. Zo meteen ligt hij ergens in het water. Misschien wel gewond en dan kan ik hem vast niet in mijn eentje op de kant krijgen. Ze holt naar Romeo en Stef. 'Jullie moeten me helpen, er is iets met Kars. Hij is ergens op de rivier, in nood.'

'Snel, jongens!' Edgar en Brian en Axel komen er ook aan. Met z'n allen hollen ze naar de rivier. Gelukkig liggen er genoeg kano's.

'Waar is hij ongeveer?' vraagt Edgar.

'Geen idee,' zegt Annabel.

'Ik bel hem wel even.' Terwijl ze de rivier af peddelen, tikt Romeo Kars' nummer in.

Kars hoort zijn mobiel overgaan. Even schrikt hij. Is het Annabel? Als hij ziet dat het Romeo is, zucht hij opgelucht. Sorry, vriend, hierbij kan ik je echt niet gebruiken. Hij zet zijn mobiel uit en tuurt het water af. Hoe lang zou het duren voor Annabel er is? Hij kan bijna niet wachten. Hij kijkt naar het strandje. Tegen die rots ligt hij straks met Annabel. Hij heeft haar naam erop gespoten. Hij kan bijna niet blijven liggen, zo spannend vindt hij het. Hij voelt zijn hart kloppen.

Annabels hart klopt ook in haar keel. Als ze maar op tijd zijn, als er maar niks ergs aan de hand is. Waarom neemt Kars niet op? Ze heeft nog nooit zo hard gekanood.

'Weet je zeker dat we zo ver moeten?' roept Stef. 'We zijn al bijna bij de bocht.'

'Niet zeuren, opschieten!' schreeuwt Annabel. Ze ligt behoorlijk voor. Een paar minuten later gaat ze de bocht om. Het duurt heel even en dan geeft ze een gil. Ze wordt vuurrood als ze het spandoek ziet: ANNABEL, IK WIL VERKERING MET JE!

Daar is ze, denkt Kars als hij Annabels kano de bocht om ziet komen en hij gaat van blijdschap staan. Maar een paar tellen later ziet hij de anderen. Nee, hè. Van ellende ploft hij in het zand.

In plaats van een romantische ontmoeting wordt hij uitgejoeld. '*Emergency,* jongens, hé, Tarzan!' roept Romeo. 'We komen Jane brengen.'

Ze trekken Annabel uit de kano en jonassen haar op Kars' schoot. Annabel is in de war. 'Sorry, ik kreeg je sms'je en toen dacht ik dat je in nood was.'

'Dat is-ie ook,' zegt Edgar. 'Kom op, jongens. We laten die twee alleen.'

'Wat doe je?' vraagt Stef, als Romeo de kano van Kars in het water duwt.

'Hij wilde toch met haar alleen zijn? Nou, dat komt voor elkaar.' Romeo bindt de kano aan zijn eigen kano.

'Wat doe je met de mijne?' roept Kars als ze wegvaren.

'Jullie mogen met z'n tweetjes in één kano,' roept Stef. 'Dat is pas romantisch!' Lachend peddelen ze weg.

'Jullie snappen ook niks.' Isa loopt kwaad het huis uit. Heel fijn voor haar moeder dat er morgen een journalist komt van een campingblad. Maar toevallig heeft zij geen zin om met hem te praten. Wat wil haar moeder nou dat ze zegt? Timboektoe, vet gaaf! Ik ben zo blij dat we hier zijn gaan wonen. Ze heeft zich nog nooit zo ongelukkig gevoeld. Timboektoe brengt haar alleen maar ongeluk. Haar verkering is uit; voor haar beste vriendin bestaat ze niet meer. Allemaal heel fijn. 'Je kunt toch over de komende barbecueparty vertellen,' zei Ad tot overmaat van ramp. Die heeft ook nooit iets door. Denkt hij nou echt dat ze daar naartoe gaat? Moet ze daar soms als een zielig vogeltje rondhangen? Of het moet iets worden met Kylian, dan verandert natuurlijk alles. Als ze daaraan denkt wordt ze weer blij. Kylian begrijpt haar tenminste. Hij zat er toevallig bij toen ze ruzie kreeg met haar ouders en gaf haar een knipoog.

Isa loopt over de camping. Als het aan is met Kylian, gaat ze wel naar de party. Expres, om Justin jaloers te maken. Sinds het uit is heeft ze Justin niet meer gezien. En dat is maar goed ook. Hij interesseert haar niet meer. Ze snapt totaal niet wat ze ooit in hem gezien heeft. Vergeleken bij Kylian is hij een vette loser. Helemaal niks, al verbeeldt hij zich heel wat.

Isa loopt maar wat over het veld als ze een sms'je krijgt. Van Sharon. Ze schrijft dat ze veilig is aangekomen en dat ze heel blij is om weer thuis te zijn, maar hen ook mist. Ik mis jou ook, denkt Isa. Was je nog maar hier!

In de verte ziet ze Nona's tent. Zal ze naar haar toe gaan? Toch maar niet, ze is nu niet in een bui om het goed te maken. Nona hoeft maar iets onaardigs te zeggen of ze zal ontploffen. Isa wil het pad naar de rivier in slaan als er een schok door haar heen gaat. Daar heb je Justin! Hij is aan het skaten met Axel. Er is blijkbaar iets met zijn skate, want ze buigen zich eroverheen. Daardoor ziet Justin haar niet. Eigenlijk zou ze moeten omdraaien, maar ze moet naar hem kijken. Zoals-ie daar zit, Isa's hart begint sneller te kloppen. Ze schrikt er zelf van. Haar gevoel voor Justin is helemaal niet weg. Ze vindt hem nog steeds leuk. Het liefst zou ze naar hem toe rennen en hem zoenen. Ze staat daar maar, tot Axel en Justin wegskaten. Isa kijkt Justin na. Als hij uit het zicht is verdwenen, wordt ze kwaad. Die eikel is gewoon aan het skaten alsof er niks aan de hand is, alsof ze nooit verkering hebben gehad. Maar dat wordt wel anders als hij hoort dat ze met Kylian gaat. Isa zucht. Hoe komt Justin dat te weten?

'Hoi.' Ze schrikt op van een stem. Als ze Madelon ziet weet ze het. Ze wil toch dat Justin het te horen krijgt, dan moet ze het tegen Madelon zeggen want die vertelt alles door. Ze kijkt naar het tennisracket in Madelons hand.

'Ha, je gaat tennissen,' zegt Isa. 'Misschien zie je ons straks nog.'

'Ons?'

'O, je weet het nog niet? Ik heb een nieuwe lover, Kylian.'

'Dat is toch die gast van de speurtocht,' zegt Madelon. 'Maar die is toch veel ouder dan jij?'

'Dat maakt ons niks uit, we zijn hartstikke verliefd.' Isa ziet dat Madelon onder de indruk is. 'Nou, ik ga naar hem toe.' En ze loopt weg.

In plaats van rechtdoor te lopen naar de tennisbaan, keert Madelon om. Die gaat het meteen aan Justin vertellen, denkt Isa. Doe maar goed je best. Grinnikend loopt ze naar haar tent. Maar dan bedenkt ze dat het niet alleen maar leuk is dat Madelon het weet. Ze zal er nu voor moeten zorgen dat het echt iets wordt tussen Kylian en haar, anders staat ze voor gek. Hoe moet ik dit aanpakken, denkt Isa als ze op haar luchtbed zit. Kylian wil haar wel, daar is ze van overtuigd. Hij is alleen verlegen. Het heeft ook geen zin dat ze ervoor zorgt dat ze alleen met hem is. Vanochtend tijdens de speurtocht zijn ze uren alleen geweest en toen durfde hij ook niks. Is dat wel waar? Ze waren niet echt alleen. Er kon elk moment iemand aankomen, daar was hij natuurlijk bang voor. Ze moet er dus voor zorgen dat ze echt met z'n tweetjes zijn, dat niemand hen kan storen. Maar waar ben je nou helemaal alleen? Eigenlijk nergens. Vooral niet op de camping, waar je ook loopt, je komt altijd wel iemand tegen. Dat irriteert haar soms gruwelijk. Alleen als ze in haar tent is heeft ze privacy. Maar dat is het! Isa veert op. Ze wacht Kylian op in zijn tent, dan weet ze zeker dat ze niet gestoord worden. Wat een superactie! Als hij dan binnenkomt zegt ze dat ze hem komt voorlezen. Een verhaaltje voor het slapengaan. Nou, daar heeft ze wel een heel mooie voor. Ze pakt het boek met liefdesverhalen. Dat neemt ze mee, en ze zet ook een kaarsje neer voor de sfeer. Isa kijkt op haar horloge, het is halftien. Ze weet niet hoe laat Kylian naar bed gaat, maar ze kan maar beter zorgen dat ze in zijn tent is, dan is ze in elk geval op tijd. Ze denkt aan Justin. Die weet het vast al. Ga maar lekker de hele avond stressen, eigen schuld. Hij hoopt natuurlijk dat het een verzinsel van Madelon is. Maar het is geen verzinsel, mannetje! Kijk maar goed op het feest, dan zie je Kylian en mij schuifelen. Je moest ons lievelingsliedje toch zo nodig teruggeven? Misschien vraag ik Kars wel of

157

hij het wil draaien, dan kun je zien hoe Kylian en ik erop zoenen. Net goed, dan mag jij 's nachts in je bed janken.

Tevreden komt Kylian uit het kantoortje van Ad. Alles voor de speurtocht is geregeld. Hij heeft iedereen ingedeeld. Ze waren allemaal zo enthousiast dat alle posten dubbel bemand zijn.
'Hé, speurneus!' wordt er uit de kantine geroepen. 'Ook een biertje?'
'Geneer je niet,' zegt Romeo. 'Jules trakteert omdat hij blij is dat we weer met hem praten.'
'Hoor hem nou,' zegt Jules. 'Híj is blij, hij vond er niks aan toen ik maar in mijn tent zat.'
'Je hebt heel wat gemist,' zegt Romeo. 'Heb je al gehoord dat ik met Madelon heb gezoend? Het was niet normaal. Ik ben heel wat gewend, maar dit? Heftig!'
'Het was niet zo lekker als met mij, zeg eerlijk,' zegt Stef.
Romeo knielt voor Stef neer. 'Sorry, *darling*, ik zal nooit meer vreemdgaan.'
'Wie heeft er zin om te zwemmen?' vraagt Kylian.
'Dankjewel,' zegt Kars. 'Ik ben vandaag al nat geworden.'
'Wie gaat er dan ook samen in één kano!'
'Jij durft!' Kars geeft Romeo een zet. 'Je hebt zelf mijn kano gejat, grapjas.'
'Voor je eigen bestwil,' zegt Romeo. 'Het was een test of jullie huwelijksproblemen konden oplossen. Niks ruzie en elkaar uit de boot kinkelen en onderdompelen. Kijk eens hoe knus ze hier met z'n tweetjes zitten.'
'Gaat er nou nog iemand mee zwemmen?' vraagt Kylian.
'Nee.' Edgar laat zijn spierballen zien. 'Wij moeten onze krachten sparen voor de speurtocht voor morgen.'
'Ja, die wordt heel zwaar,' zegt Romeo. 'Steeds stempeltjes geven, daar moeten we ons wel op voorbereiden.'
'Ik hoor het al,' zegt Kylian. 'Met jullie valt geen normaal woord te wisselen. Ik ga mijn handdoek halen.'
Kylian loopt lachend weg. Hij houdt er juist van om in de

avond te zwemmen. Het liefst als de zon ondergaat, dat werpt zo'n mooi schijnsel op de rivier.

Daar is-ie, denkt Isa als ze voetstappen hoort en ze steekt snel de kaars aan en gaat op het luchtbed liggen met het boek in haar hand.
'Wat is dit voor verrassing?' vraagt Kylian als hij haar ziet.
Zie je wel, denkt Isa. Helemaal in de roos.
'Dit had je niet gedacht, hè?'
'Nee,' zegt Kylian, 'maar wel gehoopt. Ik heb zo'n zin om nog even te zwemmen en alleen is het niet zo leuk.'
Hij wil met me zwemmen onder het licht van de maan... denkt Isa. Dat is nog veel romantischer dan voorlezen. Ze had nooit gedacht dat hij dat zou durven.
'Ik moet wel even mijn bikini aantrekken.' Totaal overrompeld holt Isa weg. Binnen een paar seconden heeft ze haar bikini aan. Isa hoopt dat ze Justin tegenkomt. Maar jammer genoeg ziet ze hem niet als ze met Kylian over de camping loopt.
'We doen dat ik niet kon zwemmen,' zegt Isa als ze bij de steiger zijn. 'Ik viel per ongeluk in het water en toen moest jij me redden.'
'Ik was de held,' zegt Kylian lachend.
'Help!' roept Isa als ze in het water ligt. 'Ik verdrink!' En ze spartelt alsof ze echt dreigt te verdrinken en gaat kopje-onder.
'O, prinses, ik kom je redden.' Kylian springt in het water en tilt haar op. Met Isa in zijn armen staat hij in de rivier. Isa heeft zin om gek te doen, met Kylian kan ze zo lekker lachen. Maar daar schiet ze niks mee op, natuurlijk. Ze moet Justin jaloers maken.
Even serieus, denkt ze. En ze slaat twee armen om Kylians hals. 'Weet je, ik ben verliefd.' En ze buigt haar gezicht naar Kylian toe. Maar Kylian reageert niet.
'Weet je wat ik wil?' vraagt ze. 'Ik wil... ik wil dat mijn geliefde me kust.' Als hij het nou nog niet doorheeft... Gespannen wacht ze af. 'Hoorde je me?' vraagt ze.

'Geliefde!' roept Kylian. 'Je moet Isa kussen.' Hij loopt met haar door het water. 'Geliefde van Isa, waar zit je?'

Isa denkt dat hij haar plaagt. 'Hier is mijn geliefde.' En ze prikt lachend in zijn buik.

Kylian kijkt om zich heen. 'Waar is-ie... ik zie 'm nergens. Ik zie alleen maar de prinses en water en rotsen.'

Isa kijkt naar Kylian en schrikt van zijn gezicht.

'Wat heb je?' vraagt ze.

'Ik weet het al,' zegt ze voor Kylian iets kan zeggen. 'Je vindt me niet leuk, zeg maar eerlijk.'

'Ik vind je hartstikke leuk,' zegt Kylian. 'Maar...'

'Je bent niet verliefd op me,' valt Isa hem in de rede.

'Nee,' zegt Kylian. 'Maar dat ligt niet aan jou. Ik word nooit verliefd op meisjes. Ik ben gay.'

'Wat...?' Isa's mond valt open. 'Waarom zeg je dat nu pas?'

Kylian is net zo verbaasd als Isa. 'Ik dacht dat je dat wel wist.'

'Moet ik dat ruiken of zo?'

'Natuurlijk niet,' zegt Kylian. 'Ik ben er juist altijd heel open over. Je ouders weten het ook.'

'En dat verhaal dan, dat je zo verliefd was,' zegt Isa.

'Dat was op een jongen,' zegt Kylian. 'Ik dacht dat je dat wel begreep. Maar net schrok ik. Dit zijn geen spelletjes, dacht ik. Ze meent het echt.'

Hij pakt Isa's hand. 'Je bent toch niet boos op me?'

Isa slaat haar ogen neer. 'Nee, natuurlijk niet. Ik voel me gewoon stom. Ik ga slapen.' Ze loopt weg.

Logisch dat ze zich stom voelt, denkt Kylian. Ik had het meteen moeten zeggen. Hij kijkt Isa na. Toch geloof ik niet dat ze echt verliefd op me is, denkt hij. Er zit iets achter. Zou het soms met Justin te maken hebben? Misschien kan ik wat voor haar doen, denkt hij.

Isa zit in haar tent. Ze moet even bijkomen van de gedachte dat Kylian gay is! En zij maar allerlei acties bedenken om hem te versieren. Ze denkt aan al die momenten dat ze iets bij hem probeerde uit te lokken. Eigenlijk heeft ze zichzelf hartstikke belachelijk gemaakt. En hij liet haar maar gaan. Ineens wordt ze boos. Waarom heeft hij niks gezegd? Hoe kon ze dat nou weten? Omdat hij het tegen haar ouders heeft verteld, zeker. Wat dacht hij nou, dat haar ouders zoiets gaan vertellen? Ja, jongens, we krijgen een activiteitenbegeleider, hij is gay. Ze kent haar ouders, zulke informatie vinden ze volstrekt onbelangrijk. Hadden ze het maar wel verteld. Nu denkt iedereen dat ze iets hebben. Justin zal wel lachen als hij hoort dat er niks tussen hen is. Madelon gaat haar er zeker mee pesten en Axel ook. Het is ook zo'n afgang! Ze voelt zich in de maling genomen, maar tegelijk vindt ze dat het niet eerlijk is. Kylian heeft nooit aanleiding gegeven. Hij was gewoon lief voor haar, omdat ze verdrietig was om Justin.

Dat is raar, ineens beseft ze dat ze nog helemaal niet heeft gehuild omdat ze Kylian niet kan krijgen. Misschien vindt ze het niet zo heel erg. Als ze eerlijk is, weet ze ook dat ze nooit echt naar hem heeft verlangd, zoals naar Justin. Toen ze op hém verliefd werd dacht ze de hele dag nergens anders aan. Dat heeft ze bij Kylian niet gehad. Ze was niet verliefd, ze wilde alleen maar iemand om Justin jaloers te maken. Dat is ook niet eerlijk tegenover Kylian.

12

Eigenlijk zou Jules vrolijk moeten zijn. Oma brengt hem zo meteen naar het ziekenhuis en dan mag eindelijk het gips eraf. Dat is natuurlijk heerlijk, maar toch komt hij met een bezorgd gezicht de kantine in. Niemand let erop. Ze zijn allemaal heel druk omdat de speurtocht straks begint. Nona is de enige die het merkt.

'Vind je het soms eng om naar het ziekenhuis te gaan? Als je het fijn vindt ga ik wel mee, hoor. Om de speurtocht hoef je je niet druk te maken. Kylian heeft genoeg mensen.'

'Dat is het niet,' zegt Jules. 'Ik ben juist blij dat dat stomme gips eraf gaat.'

'O, ik snap het al, je zit in over Frodo. Die mag natuurlijk niet mee naar binnen. Ik neem hem wel mee. Dat vinden de kinderen prachtig.'

'Waarom vertel je me niet wat er is,' vraagt ze als Jules somber blijft kijken.

'Ik maak me zorgen om mijn vader,' zegt Jules. 'Ik had zo gehoopt dat hij zou komen om te zeggen dat hij ging afkicken, maar hij is nog steeds niet geweest. Hij doet het niet, ik voel het.'

'Niet zo pessimistisch,' zegt Nona, 'de week is nog niet om. Eerst hebben we nog een barbecueparty.'

Jules zucht. Alsof hij daar nu zin in heeft. Wat gaat er gebeuren als zijn vader niet op het voorstel van oma ingaat? Hij is niet bang dat ze echt de politie inschakelt, ze heeft beloofd dat niet te doen. Hij weet alleen niet hoe het dan verder moet. Als zijn vader zo doorgaat, drinkt hij zich dood. Sinds hij met oma bij zijn vader is geweest, hoort hij steeds de stem van zijn moeder in zijn hoofd: Jules, je mag je vader niet kapot laten gaan, je moet hem helpen. Wist hij maar hoe? Zijn vader laat zich niet helpen.

'Je maakt je echt heel erge zorgen, hè?' zegt Nona. 'Waarom ga je na het ziekenhuis niet even bij je vader langs. Dan kun je er nog een keer met hem over praten.'

'Ik denk dat ik dat doe,' zegt Jules.

'Gefeliciteerd,' zegt Brian die er ook bij komt staan. 'Dit moet een feestdag voor jou zijn. Eindelijk dat stomme gips eraf.'

'Heerlijk!' zegt Jules. 'En weet je wat ik dan ga doen?'

'Weet ik het,' zegt Brian. 'Kanoën, zwemmen, misschien ga je wel hardlopen.'

'Nee,' zegt Jules. 'Zodra dat gips eraf is gaan wij samen naar de grot en dan kan ik eindelijk de muurschildering zien.'

Brian straalt. 'Je mag nog niks vragen, ik weet het nog niet zeker, maar het ziet er goed uit, heel goed zelfs...'

'Mag ik even?' Kylian heeft een blocnote in zijn hand. 'Even checken of we er allemaal zijn,' en hij noemt de namen op.

'Mooi,' zegt hij als hij het lijstje heeft afgewerkt. 'Er zijn verschillende plekken waar ik jullie nodig heb. Om te beginnen zijn er vier belangrijke posten waar onze deelnemertjes langs moeten komen. Om zeker te weten dat ze geen post hebben gemist krijgen ze van jullie een stempel. Ik had zo gedacht dat Nona en Isa de eerste post voor hun rekening nemen.' Nona wordt rood en Isa schrikt ook. Waarom moet Kylian hen nou per se bij elkaar zetten. Is hij soms vergeten dat ze ruzie hebben? Maar ze durven niks te zeggen. Kylian doet net of het de gewoonste zaak van de wereld is. 'Isa weet waar jullie moeten zijn, dit zijn de spullen die je nodig hebt.' Hij merkt heus wel dat ze het ongemakkelijk vinden, maar dat kan hem niks schelen. Hij heeft hen expres samen ingedeeld zodat ze wel tegen elkaar moeten praten.

Zonder iets te zeggen lopen Isa en Nona de camping af. Ze lopen een stuk uit elkaar, maar toch is de spanning om te snijden. Frodo rent voor hen uit. Anders gooien ze altijd takken voor hem, maar daar zijn ze nu te kwaad voor.

Waarom zegt ze niks, denkt Isa. Ik hoef toch niet te beginnen.

En Nona denkt precies hetzelfde.

Ze zijn al een eindje op weg als Frodo zelf een tak heeft gevonden. Omdat het zo'n lange is, laat hij hem steeds vallen en dan moet hij hem weer oppakken. Daardoor raakt hij een eindje achterop. Maar ineens heeft hij door hoe het moet en hij holt keihard met de tak in zijn bek tussen hen door. De tak is veel te lang voor de opening en blijft achter hun knieholte steken. Frodo rent toch door en dan gaan ze alletwee onderuit. Ze vallen over elkaar heen op de grond. Nu moeten ze lachen. Frodo laat de tak vallen. Hij vindt het veel leuker om hen te likken. Nona en Isa proesten het uit.

'Foei, Frodo,' lacht Nona, 'je mag ons niet zo aan het lachen maken, we hebben heel erge ruzie.'

'Ja…' giert Isa 'En dat komt nooit meer goed. Haha… We haten elkaar…' Het ijs is gebroken. Maar als ze eindelijk rechtop staan vindt Isa toch dat ze iets moet zeggen.

'Het spijt me van toen. Ik had nooit zo over Jules mogen praten. Het kwam omdat het net uit was met Justin. Ik, eh… ik denk dat ik een beetje jaloers op jullie was.'

'Dat snap ik best,' zegt Nona. 'Het is ook hartstikke gemeen wat Justin heeft gedaan.'

'Ik heb zin om hem terug te pakken,' zegt Isa. 'Het liefst zou ik op het eiland onder zijn neus met iemand zoenen. Maar ik weet niet met wie?'

'Vraag Brian,' zegt Nona. 'Dan moet je het gewoon eerlijk zeggen.'

'Zou hij dat willen?'

'Volgens mij willen alle jongens wel zoenen,' zegt Nona.

Nona slaat een arm om Isa's schouders. 'Ik ben zo blij dat we weer vriendinnen zijn.'

'Moet je Frodo horen blaffen.' Als ze omkijken zien ze dat Brian eraan komt hollen.

'Hè hè,' hijgt Brian. 'Ik roep jullie al de hele tijd. Ik mag zelf weten waar ik bij ga, dus ga ik bij jullie.'

'Vinden wij dat goed?' vraagt Nona.

Ze geeft Isa een stomp.

'Dat komt heel goed uit,' zegt Isa. 'Ik wil je iets vragen. Ik wil Justin jaloers maken.'

'Ze wil tijdens de party met iemand zoenen,' zegt Nona. 'Dat wil jij toch wel?'

'Ik...?' Brian schrikt zich dood. Moet hij met Isa zoenen?

'Ben je soms te verlegen?' zegt Nona.

Brian zucht. Waarom moeten ze hem daarvoor vragen. Hij weet zeker dat Edgar dat zo zou doen. Wás hij maar te verlegen.

'Zeg eerlijk,' zegt Nona. 'Je wilt heus wel zoenen. Dat wil elke jongen.'

Dat is juist mijn probleem, denkt Brian. Dat elke jongen dat wil en ik niet. Hij had juist zo'n zin in de barbecue, maar nu niet meer.

'Je wilt het niet, hè?' zegt Isa. 'Dan hoeft het niet hoor.'

'Brian!' roept Edgar. 'Jij loopt toch los? Kun je ons helpen?'

Gelukkig, denkt Brian, daar ben ik vanaf. En hij rent weg.

'Het overviel hem,' zegt Nona. 'Maar ik regel het wel voor je.'

'Denk je dat het lukt?' vraagt Isa.

Nona knikt. 'Dat komt helemaal goed. Dat gezicht van Justin, daar verheug ik me nu al op.'

'Ik ook,' lacht Isa. 'We zullen ze krijgen, de boys.'

'Dat hebben ze snel gedaan,' zegt oma als Jules zonder krukken de hal van het ziekenhuis in komt. 'Viel het mee?'

'Toen ik dat apparaat zag kreeg ik het wel een beetje benauwd,' zegt Jules. 'Ik ben blij dat mijn been er nog aan zit.'

'Gaat het wel?' Oma kijkt bezorgd naar Jules die nog wat onzeker naar de auto loopt.

'Het is wel een raar gevoel,' zegt Jules. 'Mijn been voelt heel slap, alsof er geen spieren in zitten. En het is hartstikke wit.'

Oma houdt het portier voor hem open. 'Moet je nog terugkomen?'

'Nee, de dokter wil me daar niet meer zien. Ik kan mijn been weer gewoon buigen,' zegt hij als hij instapt. 'Heerlijk, en die krukken zal ik ook niet missen.'

'Nou, dan gaan we maar.' Oma start de auto en rijdt weg.

'Wilt u mij bij mijn huis afzetten, ik ga mijn fiets ophalen.' Oma hoeft niet te weten dat hij met zijn vader gaat praten.

'Mag je alweer fietsen?' vraagt ze.

'Ik mag alles.'

'Je komt toch nog wel terug, hè?' Oma stopt voor Jules' huis.

'Ja, hoor,' zegt Jules. 'Maar ik blijf niet lang meer. Na de bar-becueparty ga ik weer thuis wonen, dat heb ik met Ad afge-sproken.'

'Ik hoop dat je nog een poosje bij ons moet blijven,' zegt oma, 'dan gaat je vader tenminste naar de kliniek. Je weet dat er een plaats voor hem is, hè?'

Jules knikt. 'Maar of hij het doet…' Hij krijgt meteen weer een zwaar gevoel. Oma ziet het wel. 'Zal ik mee naar binnen gaan?'

'Niet nodig, ik haal mijn fiets op en dan ben ik weg.' Jules zwaait naar oma en loopt het pad op. De rode pick-up ziet hij niet. Die staat zeker in de garage, want op dit uur is zijn vader nooit weg. Meestal gaat hij 's middags spullen halen en verko-pen.

Jules ziet dat de deur van het huis ernaast opengaat. Help, denkt-ie, de buurvrouw heeft me gezien. Hij heeft geen zin om met haar te praten. Hij mag haar niet. Ze kletst altijd alles door. Dacht hij het niet, ze komt voor hem naar buiten.

'Zo, Jules, je bent er weer. Het wordt tijd dat je voor je vader gaat zorgen, jongen.'

Jules schrikt. Waarom zegt de buurvrouw dat? Zou ze iets hebben gemerkt? Ze hebben expres voor haar verborgen ge-houden dat zijn vader drinkt.

'Vanochtend lag hij zijn roes in de tuin uit te slapen, hier, naast het pad. En de vorige keer lag hij daar.' De buurvrouw wijst de plek precies aan.

Jules wordt rood. 'O, eh… misschien was hij wat eenzaam.

Ik ben nu weer thuis, dan komt het wel goed.'

'Het is te hopen, anders maak ik er werk van. Dit is geen achterbuurt waar ze midden op straat slapen.' En de deur gaat dicht.

Jules moet er even van bijkomen. De situatie wordt echt onhoudbaar. Dat zijn vader dat zelf niet inziet. Het is maar goed dat hij er over twee dagen weer is, dan kan hij hem een beetje in de gaten houden. Laat hij zijn fiets maar vast pakken. Als hij de schuurdeur opendoet is hij stomverbaasd. Waar is alles? Er stonden wel drie fietsen en ze zijn allemaal weg. Daar was hij al bang voor, zijn vader heeft ze vast verkocht. Is hij nou helemaal gek geworden? Jules vergeet van de schrik zijn been. Hij doet de voordeur open en loopt de gang door. In de deuropening van de kamer blijft hij staan. Zijn mond valt open. De kamer is half leeg. De tv is weg, en de cd-speler. En die mooie leren stoel. Zelfs de pendule is van de schoorsteen verdwenen. Zijn vader zal toch niet ook zijn spullen hebben verpatst? Jules loopt naar zijn kamer. Shit! Zijn cd-speler staat er ook niet meer. Zijn vader heeft het ding gewoon verkocht. Nog sympathiek dat hij zijn bed heeft laten staan, maar dat zal niemand wel willen hebben, anders was het ook weg geweest. Jules wordt razend. Waar hangt zijn vader uit? Hij doorzoekt het huis, maar zijn vader is nergens. Hij doet de garagedeur open, maar de rode pick-up staat er niet.

Jules staat daar maar. Als hij van de ergste schrik is bekomen, slentert hij naar binnen. Verward ploft hij op de bank neer. Dit gaat mis, denkt hij, helemaal mis. Zijn vader is helemaal niet van plan af te kicken. Integendeel, hij heeft alles verkocht zodat hij door kan gaan met zuipen. Dit is nog lang niet het eind. Zo meteen verpatst hij hun huis nog, dan zijn ze dakloos. Dan kan hij niet eens meer naar school. Jules durft er niet aan te denken hoe hun leven er dan uit komt te zien. Hij knijpt wanhopig zijn ogen dicht. 'Mam,' zegt hij. 'Je wilt dat ik papa tegenhoud, je wilt dat ik ervoor zorg dat hij niet in de goot belandt, maar wil je alsjeblieft zeggen hoe?'

'Wat heb je nou?' vraagt Axel als hij met Justin over de camping loopt. 'Je bent toch niet nog steeds kwaad op die chick?' Justin haalt zijn schouders op. 'Ik snap er nog steeds niks van dat ze zomaar verkering met een ander neemt.'

'Maak je niet druk,' zegt Axel. 'Je moet blij zijn dat het uit is. Nu ben je weer vrij, man. Die Isa is gestoord. Ze zijn allemaal gestoord. Stelletje losers. De hele ochtend zijn ze bezig met die speurtocht, dan spoor je toch niet? Moet je nagaan, in je vakantie?'

Justin reageert niet. Hij had er best bij willen zijn. Het heeft niks met werken te maken. Ze hebben het altijd hartstikke gezellig met z'n allen. Als het alleen om Isa ging, had hij nog wel gedurfd, dan was hij gewoon uit haar buurt gebleven. Maar die Kylian, die hoeft hij niet meer te zien. Hij haat hem, hij kan het gewoon niet hebben dat hij nu met Isa is.

Vannacht droomde hij dat hij Kylian in elkaar sloeg, kun je nagaan hoe kwaad hij is. Hij heeft nog nooit gevochten.

'Die Kylian is de grootste eikel die er bestaat,' zegt hij. 'Hij moet met zijn poten van Isa afblijven.'

'Ik weet wel iets om hem terug te pakken,' zegt Axel. 'En dan hebben we meteen iets geinigs te doen. Zin of niet?'

'Het hangt ervan af,' zegt Justin.

'Die Kylian is toch zo trots op die speurtocht? Wij gaan hem ook lopen en verhangen de lintjes, dan loopt alles in de soep.'

'Hoe kan dat nou?' zegt Justin. 'Dan verdwalen de kinderen toch?'

'Dat is juist het goeie,' zegt Axel. 'Reken maar dat al die pappies en mammies bij Ad gaan klagen. Dan staat Kylian voor paal en krijgt hij de zak, man. Haha, niks zoenen met Isa, dan kan hij vertrekken. Hé, goed of niet? Kom mee.'

Maar Justin blijft staan. 'Ik vind het niks.'

'Je wilt die gast toch terugpakken, nou dan?'

'Ik wil niet dat de kinderen verdwalen,' zegt Justin.

'Wat zou dat nou,' zegt Axel. 'Daar zitten wij toch niet mee.'

'Denk nou even na. Dan lopen ze te dwalen en raken in paniek.' Justin kijkt naar een groepje kleuters die door Hanna en oma worden geschminkt.

'Dan hebben ze ook iets meegemaakt,' zegt Axel. 'Een soort survivaltocht moet je maar denken.'

'Voor zulke kleintjes zeker,' zegt Justin. 'Straks raakt er echt een kind kwijt.'

Axel blijft staan. 'Je moet verpleegster worden. Jeminee, ik wist niet dat jij zo'n watje was. Logisch dat Isa je gedumpt heeft.'

Nu wordt Justin kwaad. 'Hou je bek over Isa. Hoezo ben ik een watje? Omdat ik niet wil dat een kind verdwaalt?'

'Donder toch op met je preek.' Axel loopt weg.

Justin kijkt hem na. Dat gaat lekker zo, nou heeft hij ook nog ruzie met Axel. Hij hoopt nog dat die zich bedenkt, maar hij is al weg.

Wat een fijne vakantie zeg, nou kan hij de rest van de dag bij zijn moeder in de tent gaan zitten. Justin wil net het veldje oversteken als hij Ad tegenkomt.

'Ik was al naar je op zoek,' zegt Ad. 'Jij bent toch zo'n verwoed voetballer? Misschien vind je het leuk om vanmiddag de kleintjes te trainen voor het toernooi van morgen.'

Justin klaart meteen op. Dan heeft hij morgen tenminste iets te doen.

'Als het je niet uitkomt moet je het zeggen,' zegt Ad.

'Het komt me prima uit.' En dat is ook zo, helemaal nu Axel hem ook heeft laten barsten.

'Fijn,' zegt Ad. 'Dan zie ik je vanmiddag om halftwee.'

Justin komt fluitend de tent in.

'Eén moment,' zegt zijn moeder die gespannen achter haar laptop zit. 'Even deze alinea afmaken, anders raak ik eruit en ik moet het zo mailen.'

'Zo,' zegt ze als ze klaar is, en ze kijkt op. 'Je ziet er tenminste vrolijker uit dan vanochtend. Je hebt Ad zeker gesproken.'

'Dus jij hebt dat geregeld,' zegt Justin.

'Het leek me goed als je iets te doen had,' zegt moeder.

'Je hebt toch niet tegen Ad gezegd dat ik zielig ben, hè?'
'Nee,' zegt moeder, 'ik heb het niet over Isa gehad.'
'Dan is het goed.' Justin zucht opgelucht.

De speurtocht was een groot succes. Enthousiast rennen de kinderen naar hun ouders. Maar het is nog niet helemaal afgelopen. Kylian neemt hen mee naar de kantine. Wie een volle stempelkaart kan laten zien krijgt een diploma. En daarna is er voor iedereen een ijsje.
Het wordt steeds drukker bij de bar. Isa doet de vrieskist open en haalt er een doos ijsjes uit.
'Kan iemand me helpen?' roept ze. Het is ook zo druk. Annabel springt bij.
'Ik heb zo'n zin in vanmiddag,' zegt ze. 'Ik vind het zo'n goed idee van die standbeelden. Ik weet zeker dat het werkt. Zullen wij samen gaan?'
'Moet je niet met Kars mee? Je doet tegenwoordig toch alles met Kars? Jij hebt helemaal geen vriendin nodig.' Isa pakt de lege doos en brengt die naar achteren. Annabel gaat haar achterna.
'Sorry, ik ben ook niet leuk geweest. Ik had alleen Kars in mijn hoofd. Maar het was ook zo spannend. Ik was al twee jaar verliefd op hem, dat weet jij ook en toen ineens...'
'Toen ineens vond hij jou ook leuk en toen liet je je vriendin stikken. Van mij hoeft het niet meer. Je zoekt het maar uit, vanmiddag.'
'Isa, alsjeblieft, het was stom. Wat moet ik doen om het goed te maken?'
'Niks, makkelijk, hè? Het komt niet meer goed. Ik heb je verteld dat ik weer verliefd was, weet je nog? Je hebt er nooit meer naar gevraagd.'
'Dat komt omdat ik die Jean-Paul uit het dorpscafé niet zo leuk vind. Misschien had ik dat eerlijk moeten zeggen.'
Jean-Paul? denkt Isa. Ze heeft niet eens naar me geluisterd. Maar wat maakt het ook uit, het wordt toch niks met Kylian.

'Hallo allemaal,' klinkt het door de kantine. Isa kijkt naar de deur. Een jongen van Kylians leeftijd komt binnen. Hij ziet er heel hip uit. 'Wat een enige diploma's,' zegt hij.
Iedereen begint te fluisteren.
Isa kijkt naar Kylian en wat ze dan ziet... Zijn gezicht, die blik in zijn ogen! Zo heeft ze hem nog nooit naar haar zien kijken. Naar niet een meisje. Had ze dit maar eerder gezien, dan had ze meteen geweten dat hij gay is.
'Van wie hebben jullie dat diploma gekregen?' vraagt de jongen aan een paar kinderen.
'Van hem.' De kinderen wijzen naar Kylian.
'O,' zegt de jongen en hij kijkt er heel stout bij. 'Heb je er ook een voor mij? Met mijn naam erop, ik heet Ewoud.'
'Dan moet je eerst de speurtocht lopen,' roepen een paar kinderen. 'Kylian is de baas van de speurtocht.'
'Graag, maar niet alleen, dan moet de meester gezellig mee, anders verdwaal ik.' Ewoud geeft Kylian een knipoog.
Kylian, die altijd zo bijdehand is, weet ineens niks te zeggen. Hij kleurt tot achter zijn oren. Hij vindt Ewoud echt een stuk. Wie dat niet ziet is blind.
'Wat doet die flikker hier?' zegt Axel als Ewoud weg is. 'Ik hoop niet dat die hier lang blijft.'
'Nee,' zegt Romeo. 'Ik doe vannacht mijn tent op slot.'
'Hoezo?' vraagt Kylian. 'Voor mij ben je toch ook niet bang?'
'Hahaha...' Ze kijken hem aan. 'Ja, hoor, jij bent ook homo, nou goed? En dat moeten wij geloven.'
'Wat heb je tegen ons,' zegt Kylian.
'Ik heb niks tegen die flikker,' zegt Axel. 'Als hij maar uit mijn buurt blijft.'
Kylian gaat achter de bar staan. 'Geef mij maar een zakje chips,' zegt Axel.
'Dat gaat niet,' zegt Kylian. 'Ik moet toch uit je buurt blijven?'
'Weet je wie uit mijn buurt moet blijven?' zegt Isa kwaad. 'Jij, Axel, donder toch gauw op met je belachelijke praatjes.'
'Jij hebt makkelijk praten,' zegt Axel, 'jij bent een meid, jij

hebt geen last van die gasten. Maar ik hoef geen kerel aan mijn reet. Laat die chippies maar zitten.'

Slap van de lach lopen Stef en Romeo achter Axel aan naar buiten.

'Wat schrijf je op?' vraagt Isa als Annabel een viltstift en een stuk karton pakt.

'Kijk maar,' zegt Annabel.

Isa leest mee. VERBODEN TE DISCRIMINEREN, schrijft Annabel.

'Wat een goed idee. Dat hangen we op de deur. Ik haal plakband.'

Echt weer iets voor Annabel, denkt Isa, die pakt altijd alles groot aan.

'Wat goed van jou,' zegt ze als ze terugkomt. 'Ik ken je niet, maar je lijkt me wel gaaf. Ik zou best vriendinnen met je willen worden.'

'Dat komt goed uit,' zegt Annabel. 'Ik zoek juist een vriendin.'

En dan vallen ze elkaar lachend om de hals.

13

Shit, ze zijn alweer terug van de speurtocht, denkt Justin als hij Romeo en Stef voor hun tent ziet zitten. Dan gaat hij maar niet langs de kantine. Je zult zien dat die Kylian dan net naar buiten komt. Die kop hoeft hij niet te zien en hij neemt een ander pad. Het is toch al zo erg, de hele tijd ziet hij maar voor zich hoe Isa met Kylian zoent. En het blijft vast niet bij zoenen. Zo'n jongen van achttien wil heus wel meer. Hou ermee op, denkt hij, je kwelt jezelf. Het is uit. Over twee dagen ben je waarschijnlijk weg en dan zie je Isa nooit meer. Hij kijkt naar een paar jongetjes die met hun voetbalschoenen naar het veld rennen. Hij heeft zin om die kleintjes te trainen. Daar is hij best goed in. Op zijn eigen club vragen ze hem ook altijd. Eerst viel hij alleen maar in, maar na de vakantie krijgt hij een eigen elftal.

'Succes vanmiddag!' roept Ad uit de verte. 'Jullie komen er wel uit met zijn tweetjes. Kylian is heel blij dat je hem komt assisteren.'

Kylian…? Justin blijft verschrikt staan. Maar Ad is alweer weg. Justin heeft meteen geen zin meer. Dan moet hij morgen zeker ook de hele dag met die eikel optrekken. Zal hij zeggen dat hij hoofdpijn heeft? Maar als hij de kinderen bij het veldje ziet staan, loopt hij toch door.

'Ha, die Justin!' roept Kylian vrolijk. 'Fijn dat je er bent. Ze staan allemaal al op je te wachten. Ik heb de elftallen vast verdeeld. Als jij nou deze kinderen voor je rekening neemt, dan kunnen we beginnen met rondjes rennen. Wat denk je van vijf rondjes?'

Justin wordt meteen opstandig. Hij heeft echt geen zin om te doen wat Kylian zegt.

'Je doet maar, maar mijn elftal hoeft geen rondjes te rennen.'

Zo, denkt hij. Nou jij weer. Maar Kylian vindt het prima.

'Goed, hoor, doe het maar op je eigen manier. Ik heb alle vertrouwen in je.'

Jammer, denkt Justin. Hij had liever gehad dat Kylian op zijn strepen ging staan en ze fikse ruzie kregen.

'Gaan jullie mee, jongens?' En hij gaat de kinderen voor naar de andere kant van het veld.

'Ik ben geen jongen,' zegt een meisje.

'Maar ze is wel beregoed,' zegt haar broertje. 'Als mijn zus voor het doel staat, gaat er geen bal in.'

'Dat moeten we hebben.' Justin geeft de voetballers een opdracht. Terwijl ze bezig zijn kijkt hij Kylians kant op. Hij moet helaas toegeven dat Kylian het hartstikke leuk doet met de kinderen. Misschien is hij ook wel leuker dan hij. Logisch, dat Isa liever met hem gaat. De gedachte gaat maar door Justins hoofd. Hij wordt elke seconde onzekerder. Als ze een strafschop moeten oefenen en hij doet het voor, schiet hij de bal per ongeluk recht in de handen van de keeper. Zo'n blooper heeft hij nog nooit gemaakt. Hij schaamt zich dood en wordt knalrood.

'Dat doe je expres!' roepen de kinderen.

Justin lacht, maar Kylian die er net aan komt, ziet dat Justin het niet expres deed. Wat zou er toch met hem zijn?

'Alles goed hier?'

'Hoezo?' snauwt Justin. 'Je hoeft me heus niet te controleren, hoor. Als je denkt dat ik het niet kan, doe je het maar zelf.'

'Hoe kom je erbij, pure belangstelling.' Kylian verdwijnt.

Als de kinderen iets te drinken krijgen gaat hij expres naast Justin staan. Dat is wel het laatste waar Justin zin in heeft en hij loopt demonstratief weg. Kylian begrijpt er niks van en gaat hem achterna. 'Het lijkt wel of je kwaad op me bent.'

'Bemoei jij je nou maar met Isa!' En Justin fluit, zodat ze weer verdergaan.

Kylian kijkt Justin na. Je bent nog hartstikke verliefd op haar, denkt hij. Wat is dat voor onzin dat jullie uit elkaar zijn? Isa is ook al zo wanhopig. Hij laat Justin verder met rust en gaat door met trainen.

Ze hebben zich bij het busje verzameld, klaar om naar de stad te gaan.

Kylian loopt naar Kars.

'Hebben jullie nog aan dat zeil gedacht? Dat moeten we hebben, hoor. Stel je voor dat het gaat regenen, dan kunnen we het wel schudden met onze party.'

'Ik heb wel bekeken hoe we dat op het eiland kunnen ophangen,' zegt Kars. 'Maar het zeil heb ik nog niet gezien. Daar zou Jules voor zorgen.'

'Jules!' roept Kars. 'Jij weet toch iemand die een heel groot zeil heeft?'

'Ja,' zegt Jules. 'Bij ons in het dorp. Maar ik moet het nog halen.'

'De tijd dringt, hè?' zegt Kylian.

'Waarom halen we het nu niet op?' zegt Nona. 'Dan fietsen we er samen heen. Voor Frodo is het ook fijn om te rennen.'

Zie je nou, daar heb je het al, denkt Jules. 'Ik heb geen fiets.'

'O, maar dan halen we hem toch even op,' zegt Nona.

Jules zucht. Hij wil niet dat iedereen hoort dat zijn vader zijn fiets heeft verkocht.

'Oké, dan moeten we even langs mijn huis.' Dat komt hem wel goed uit. Hij wilde toch al langs zijn vader gaan. Hij heeft met Ad afgesproken dat hij tot na de party blijft logeren, maar als zijn vader nog meer gekke dingen doet, weet hij het niet.

'Waar blijft Madelon nou?' vraagt Kars. 'Ik hoop niet dat ze het is vergeten.'

'Vanochtend wist ze het nog,' zegt Edgar. 'Ze zou komen.'

'Hoe lang wachten we nog?' vraagt Brian.

'Tot ze er is,' zegt Stef. 'Je wilt toch dat het eiland stampvol wordt? Romeo en ik krijgen het wel voor elkaar, maar dan hebben we een meidenoverschot.'

'Ja,' zegt Romeo. 'Madelon weet de mannen wel te versieren. Die kan zoenen! Ze zuigt de vullingen uit je kiezen, man. Die ene zoen…'

'Niet weer!' kreunt Kars.

'Daar komt ze,' zegt Isa.

'Ben ik te laat?' vraagt Madelon.

'Hoe kom je erbij?' zegt Kars. 'We hadden om drie uur afgesproken. Het is nu bijna halfvier.'

Madelon kijkt naar de bus. 'Moeten we met z'n allen in dat stikhete ding?'

'Je mag ook lopend,' zegt Stef.

'Jules en ik fietsen naar het dorp,' zegt Nona. 'Dan hebben jullie meer ruimte.'

'We vertrekken.' Zodra iedereen zit, start oma de bus en rijdt ze weg.

'Ik fiets wel,' zegt Jules als Nona haar fiets heeft opgehaald.

'Zeker met mij achterop, lekker voor je been.'

'Ik heb niks meer aan mijn been,' zegt Jules.

'Ja, hoor, je bent heel stoer.' Nona houdt de fiets vast. 'Jij gaat achterop en anders ga ik alleen.'

'Dat is duidelijke taal.' Dat vindt Jules juist zo leuk aan Nona, dat ze zo stoer doet. Hij fluit Frodo. Die komt keihard aangerend. Als Nona begint te fietsen springt Jules achterop. Frodo rent naast de fiets met zijn bal in zijn bek.

'Hoe zou het met Brian zijn?' zegt Nona. 'Die zit nu in het museum.'

Door dat gedoe met zijn vader was Jules het bijna vergeten. Hij is zo blij dat hij de muurschildering heeft gezien, al was het nog wel lastig met zijn been. Hij zet gauw zijn mobiel aan. Dan horen ze het tenminste meteen als Brian nieuws heeft.

Wat zal hij nu weer aantreffen als hij thuiskomt? Hoe dichter ze bij het dorp komen hoe ongeruster Jules wordt.

'Zullen we eerst jouw fiets ophalen?' vraagt Nona.

'Ik, eh… dat wou ik net niet zeggen, maar ik heb geen fiets meer.'

'Is-ie gestolen?'

'Zoiets,' zegt Jules. 'Maar dan door mijn vader. Hij heeft 'm verpatst.'

'Wat…? Jóuw fiets?' roept Nona uit.

'Hij heeft nog veel meer verpatst,' zegt Jules. 'De tv en de cd-speler. Alles van waarde is weg. Ook mijn dingen.'

'Jules, wat erg!' Nona ziet dat hij zich heel erge zorgen maakt.

'Zo meteen verkoopt hij ons huis nog,' zegt Jules.

'Dat mag niet,' zegt Nona. 'Je vader moet afkicken, zo kan het toch niet doorgaan?'

'En als hij dat nou niet wil, ik kan hem niet dwingen. Maar één ding weet ik zeker, ik kan nu niet naar het feest, ik moet 'm in de gaten houden. Ik vraag of mijn vader straks met me langs de camping rijdt en dan haal ik al mijn spullen op. Als hij tenminste niet straalbezopen op de bank ligt.'

'We gaan nu meteen langs, dit is echt wel belangrijker dan die affiches.'

Nona trapt door naar Jules' huis. Als ze bijna bij de straat zijn, kan Frodo het niet meer houden en hij rent luid blaffend vooruit.

'Ik ga met je mee naar binnen.' Nona zet haar fiets tegen het hek.

'Weet waar je aan begint.' Jules haalt de sleutel uit zijn zak. 'Je valt flauw van de stank.'

Maar Nona laat zich niet tegenhouden. Eigenlijk vindt Jules het wel fijn dat ze meegaat, en hij gaat haar voor naar de kamer.

'Ik kom al!' roept Jules' vader. 'Ik ga al mee.'

Angstig kijkt hij Jules aan. 'Ze komen me halen, jongen. Pas maar op, zo meteen nemen ze jou ook nog mee.'

Nu ziet Jules de wond op zijn vaders voorhoofd. Er komt bloed uit.

'Wat heb je, wat is er gebeurd?' vraagt Jules.

Zijn vader gaat zitten, pakt de fles whisky en zet die aan zijn mond. Er gaat van alles door Jules heen. Waar is de auto? Hij rent naar buiten, maar de pick-up staat niet voor de deur. Jules stormt de garage in. Als hij de auto ziet staan valt zijn mond open. De hele voorkant ligt in elkaar. Misschien heeft zijn vader iemand aangereden! Nu slaat bij Jules de paniek toe. Als hij binnenkomt staat Nona over zijn vader gebogen. Ze heeft de wond schoongemaakt en doet er een gaasje op. Jules is krijtwit. 'Pap... pap... je hebt een ongeluk gehad.'

'Ja, jongen, ik zat ergens tegenop.'

'Waar tegenop?' vraagt Jules.

'Ik geloof dat het een bushuisje was. Het was op die rothoek bij het pleintje. Ik vloog uit de bocht.'

Als dat maar waar is. Jules kijkt zijn vader aan. 'Heb je iemand geraakt?'

'Nee,' zegt zijn vader.

'Ik hoop het,' zegt Jules. 'Heeft iemand je gezien?'

'Ik denk het niet,' zegt zijn vader. 'Maar misschien ook wel. Er hoeft er maar één te zijn.'

'Blijf bij mijn vader.' Jules rent naar buiten en springt op Nona's fiets.

'Hé, Jules!' hoort hij als hij voor het stoplicht staat. In de auto naast hem herkent hij de vrouw van de supermarkt. Die wil vast zeggen dat ze het heeft gezien en dat ze op zoek zijn naar zijn vader. Zijn hart bonst in zijn keel.

Ze draait het raampje nog verder open. 'Ik heb je zo lang niet gezien, ik wou alleen even weten hoe het met je is.'

'O, eh... heel goed,' zegt Jules opgelucht. 'Heel erg goed zelfs.'

Gelukkig springt het stoplicht op groen en rijdt de vrouw weg. Hij moet nog een paar straten door. Als hij de brede weg naar het plein oversteekt ziet hij het meteen. Van het bushuisje is zowat niks over. Overal ligt glas. Er staan allemaal mensen omheen. De buurvrouw is er ook. Jules hoort haar al. Ze zal eens niet het hoogste woord hebben.

'En niemand heeft iets gezien,' hoort hij haar zeggen. 'Volgens mevrouw en meneer Vaillant is het vannacht gebeurd. Ze schrokken wakker van een klap en toen ze gingen kijken zagen ze het hele bushuisje in elkaar liggen, maar de dader was spoorloos. Het zal wel een of andere dronkelap geweest zijn.'

Jules' maag draait om als ze hem aankijkt. Als ze zijn vader maar niet verdenkt. Ze hoeven maar naar de auto te kijken en hij is erbij.

'Het is maar goed dat jij weer thuis bent, Jules. Als je vader nog langer alleen was gebleven had hij op een dag waarschijnlijk ook brokken gemaakt.'

Jules kan haar van blijdschap wel zoenen.

'Ja,' zegt hij. 'Sinds ik er weer ben voelt mijn vader zich top!' Voordat ze nog iets wil weten gaat hij ervandoor. Hij weet genoeg. Zijn vader heeft gelukkig niemand aangereden. Dat kapotte bushuisje lappen ze wel weer op. Hij is veel te blij dat niemand weet dat zijn vader het heeft gedaan.

Nona zit naast zijn vader op de bank als Jules thuiskomt.

'En?' vraagt ze.

'Het bushuisje ligt helemaal in puin,' zegt Jules. 'Dat heb jij gedaan, pap, met je dronken kop. Gelukkig heeft niemand het gezien en dat houden we zo. De auto blijft in de garage tot we hem samen hebben opgeknapt.'

'Dus het valt mee,' zegt vader. 'Dan neem ik nog maar een slokkie.'

Dit gaat Jules te ver. 'Het valt helemaal niet mee.' Hij grijpt de fles. 'Er had wel iemand kunnen staan, die was dan morsdood geweest, pa. Hoor je me? Dan had je een moord gepleegd.' Hij kijkt zijn vader aan. 'Pap, wat doe je mij aan, wat doe je mama aan?'

'Je moeder, jongen... je moeder... ik mis haar zo...' En dan begint zijn vader te huilen.

Jules slaat een arm om hem heen. 'Ik mis mama ook, pap. Maar jou bijna nog meer. Snap je dat? Ik heb geen moeder meer, maar ook geen vader.'

Zijn vader pakt Jules' hand. 'Ik ben een klootzak, jongen. Jouw vader is een grote klootzak. Ik wou dat ik weer een goeie vader kon zijn.'

'Daarom moet je afkicken, pap,' zegt Jules. 'Er is plaats voor je in de kliniek. Als je dan terugkomt, zijn we weer samen. Jij

en ik en Frodo. Je hoeft niet alleen te gaan, ik breng je. En als je daar bent, dan kom ik elke dag.'
'En ik kom ook een keer langs,' zegt Nona.
Zijn vader kijkt haar aan. En dan kijkt hij naar Jules. 'Dat is een lief meisje, jongen, een heel lief meisje.'
'Nona wil ook graag dat je gaat, pa,' zegt Jules. 'En als je beter bent, laten we Nona samen de antiekwinkel zien. Want die gaat dan weer open. En dan gaan we met z'n tweetjes naar Engeland, pap, dan past Nona op Frodo en anders breng ik hem naar de camping. Weet je nog, pa, hoe leuk dat was? Dan gaan we weer spullen kopen.'
Jules neemt zijn vaders gezicht tussen zijn handen. 'Ik kan je niet missen, pap. Mama kan ik niet terugkrijgen, maar jou wel. Het is nog niet te laat, ik heb je nodig.'
Er komt een heel klein beetje glans in zijn vaders ogen.
'En wat zal mama trots op je zijn,' zegt Jules.
Zijn vader knijpt in zijn hand. 'Denk je dat het lukt?'
'Het gaat je lukken, pa, ik weet het zeker.'
'Wij helpen u erdoorheen,' zegt Nona.
'Bel maar op dat ik kom.'
Jules omhelst zijn vader. 'Ik denk dat we beter oma kunnen bellen.' Hij pakt zijn mobiel en toetst oma's nummer in.

'Ik stel voor dat jullie op het marktplein gaan staan,' zegt Kars, als oma hen in de stad afzet.
'We hoeven toch niet met z'n drieën bij elkaar te staan?' zegt Madelon. 'Het is geen beeldentuin.'
'Dat moet wel,' zegt Stef. 'Wij zijn jouw bodyguards.'
'Bodyguards die niet mogen bewegen,' lacht Madelon hen uit.
'Zorgen jullie nou maar voor jezelf,' zegt ze. 'Dat er genoeg meiden komen, want anders wordt het jongensoverschot wel erg groot. Jullie leggen het toch af tegen mij.'
'Ho ho,' zegt Romeo. 'Niet zo veel babbels, hè? Je hebt hier met twee superhunks te maken.'
'Ik hou wel van een beetje ambitieus,' zegt Kars. 'Hoeveel denk je er binnen te slepen?'

'Dat is een verrassing.' Madelon drukt een kus op Kars' wang, pakt een hand flyers en loopt lachend weg.

'Waar ga je staan?' vraagt Kars.

'Dat merk je vanzelf wel, als je ergens een file ziet, sta ik daar.' Isa kijkt Madelon na. 'Die heeft ook geen verbeelding, hè?'

'Het lukt haar heus wel,' zegt Kars. 'Die sleept zo veertig boys naar de party.'

'Veel meer,' zegt Edgar. 'Ga maar van het dubbele uit.'

'Tachtig...?' lacht Isa hem uit. 'Dat komt omdat je zelf blind van haar bent. Kom op!'

Met de flyers onder haar arm loopt ze met Annabel de andere kant op.

'Wedden?' roept Edgar haar na.

'Prima,' roept Isa. 'Ik ga voor vier.'

'Vier? Dat meen je niet. Dan heb je alvast verloren.'

Romeo loopt naar het midden van het plein. 'Nou, jongens, zeg jullie vriend maar vaarwel. Over enkele seconden ben ik versteend.'

'Ik ook,' zegt Stef.

Romeo pakt een bord en zet het op de grond.

'Wil je mij zien bewegen?' staat er met grote letters op. 'Kom dan naar de spetterende barbecueparty op ons Love-Island!'

Hij gaat erachter staan. Ze zijn allemaal benieuwd wat voor houding de jongens gaan aannemen. Ze wilden het niet zeggen. Vol spanning kijken ze naar Romeo. Hij zet dit keer zijn zonnebril niet op maar houdt 'm nonchalant in zijn hand, terwijl hij strak tussen zijn wimpers door kijkt.

'Mister Cool!' roepen ze.

Stef is al even erg. Ook hij staat achter een bord. 'Wil je mij ontmoeten op het Love-Island? Kom dan naar onze big barbecueparty.'

Hij zet zijn zonnebril wel op, en zet zijn voeten een stuk uit elkaar. Hij steekt een tandenstoker tussen zijn lippen en houdt zijn hoofd scheef. Dan legt hij zijn vuist op zijn hart.

'Mister Respect!' roepen ze.

De standbeelden trekken veel aandacht.

'Kijk nou eens!' Een groepje meiden blijft staan. Ze fluisteren en grinniken wat. 'Jij moet het doen...'

'Nee jij...!'

'Goed dan!' De brutaalste meid loopt op Romeo af en drukt een kus op zijn wang. Ze beginnen te gillen, maar Romeo beweegt niet.

'Het zijn poppen!' roept een ander groepje. 'Nietes, hij knippert met zijn ogen.' En ze wijzen naar Romeo.

'Die wil ik wel zien bewegen,' zeggen ze en ze nemen een flyer mee.

Een meisje gaat naast Stef staan, legt een arm om zijn schouders en dan maakt een van haar vriendinnen een foto.

'We kunnen er wel geld voor vragen,' lacht Kars.

'Wij gaan Madelon zoeken.' Isa en Annabel lopen weg.

Het is echt een heel goeie zet. Ook volwassenen blijven voor de standbeelden staan en sommigen nemen zelfs een flyer mee voor hun kinderen. Misschien heeft iemand het wel doorgegeven, want ineens staat er een journalist voor hen. Hij maakt een foto van de beelden en stelt Kars allerlei vragen over de party.

'Wat een reclame!' roept Kars als de man weg is. 'Morgen komt het in de krant!' En hij belt meteen Hanna om het te vertellen.

'En?' vraagt Kars als Isa en Annabel terug zijn.

'Ze staat nergens,' zegt Isa. 'We hebben overal gekeken.'

'Ja,' zegt Annabel. 'Ze is spoorloos.'

'Dat kan toch niet?' Kars en Edgar willen gaan zoeken als Romeo's mobiel afgaat. Alle omstanders moeten lachen, maar Romeo blijft ijzig kalm en beweegt niet. Hij seint naar Kars dat hij moet opnemen.

'Even het standbeeld fouilleren.' Kars haalt Romeo's mobiel uit zijn zak. 'Je hebt een sms'je.' Hij opent het.

'Nou ja!' roept hij verontwaardigd. 'Moet je die nou zien! Madelon ligt in het zwembad met een groep jongens.'

'Die jongens heb ik hier zien lopen,' zegt Isa. 'Ze is gewoon met ze naar het zwembad gegaan.'

'Vrouwen kun je ook nooit vertrouwen,' zegt Edgar. 'Ze heeft ons laten zakken.' En hij leest voor wat eronder staat. 'Heerlijk hier, bel maar als we vertrekken. Kus Madelon.'

'En ik nog denken dat ze tachtig jongens zou optrommelen. Die haalt helemaal niemand binnen,' zegt Kars.

'Nou, boys,' zegt Edgar. 'Dan zitten we wel met een meidenoverschot. Niet dat ik daar moeite mee heb, hoor.'

'Ik baal er anders behoorlijk van,' zegt Kars. 'Wat is daar nou aan? Nee, dit gaat niet goed. Ons discofeest was een toppertje en dat moet de barbecueparty ook worden. Mijn pa heeft voor een vermogen aan vlees besteld. Plus de rest. Dat wordt het hele jaar saté eten.'

'We moeten een stand-in hebben. Kijk maar, het zijn echt bijna allemaal meiden die met een flyer weglopen.' Edgar neemt Kars apart. 'Kunnen we Annabel niet vragen?' vraagt hij zachtjes.

Dat valt helemaal verkeerd. 'Ben je gek, man!' zegt Kars. 'Wat moet die met al die jongens?'

'We hebben toch een meid nodig,' zegt Edgar. 'Zeg jij dan maar wie het moet doen?'

'Weet ik het,' zegt Kars, 'maar Annabel niet. Dan trek ik nog liever zelf een jurk aan.'

Edgar moet lachen. 'Dat lijkt me heel sexy, die kromme poten van jou eronderuit.'

14

Terwijl de crew van Timboektoe 's morgens de party voorbereidt, staat Jules met zijn vader voor het hek van de kliniek. Dit moment heeft hij de laatste dagen wel honderd keer voor zich gezien. Als het maar eenmaal zover is, dacht hij steeds. Als mijn vader maar veilig in de kliniek is. Maar nu ze daar zo staan, met z'n tweetjes, vlak voor de grote deur waarachter zijn vader straks voor weken zal verdwijnen, wordt hij verdrietig. Het is ineens zo zichtbaar wat de dood van zijn moeder teweeg heeft gebracht. Dat ze het niet samen hebben aangekund. Dat hij zijn vader niet heeft kunnen helpen, hoe graag hij het ook wilde.

Jules hoopt zo dat ze daarbinnen lief voor zijn vader zijn, en dat het hun wel lukt.

Samen met zijn vader loopt hij over het brede pad. Ze zeggen niets. Wat valt er nog te zeggen? Ze voelen allebei dat ze hebben gefaald.

Jules' hand trilt als hij de zware deur voor zijn vader openhoudt. Ze staan in een grote marmeren hal. Veel tijd om rond te kijken hebben ze niet, want er komt een vrouw naar hen toe.

Ze stelt zich voor en neemt de koffer van Jules over.

'Als u afscheid van uw zoon neemt,' zegt ze vriendelijk, 'laat ik u het hele gebouw zien. En dan brengen we uw spullen naar uw kamer.'

'Mag ik niet mee?' vraagt Jules.

'Je bent van harte welkom,' zegt de vrouw, 'wanneer je maar wilt, maar eerst moet je vader een dag acclimatiseren.'

Jules kijkt naar zijn vader. Ineens is het zover, dat hij hem moet achterlaten.

'Dan ga ik maar, pa.' Zijn stem klinkt hees. Hij geeft zijn vader een zoen en loopt weg.

Hij is halverwege de hal als hij zijn vaders stem hoort. 'Jules, ik ga mee naar huis. Ik blijf hier niet.'

Jules blijft staan. Als hij zich omdraait ziet hij de angst in zijn vaders ogen. Moet hij hem hier wel laten? Even aarzelt hij. Doorlopen, hoort hij zijn moeders stem in zijn hoofd. Het is het beste.

De vrouw gebaart naar Jules. Hij weet wat ze bedoelt, zijn vader is vrij om te gaan. Jules ziet dat zijn vader niet sterk genoeg is. Ik moet je nu helpen, denkt hij. Het is onze laatste kans. 'Sterkte, pap.' Hij draait zich om.

'Jules!' klinkt het weer. Maar Jules kijkt niet meer om. Hij redt het nog net tot de deur, maar zodra die achter hem dichtvalt moet hij huilen.

Hij schrikt op als Frodo tegen hem op springt.

'Hoe kom jij hier?' vraagt Jules verbaasd. Maar dan ziet hij Nona.

'Wat lief dat je bent gekomen,' zegt hij.

Nona drukt hem tegen zich aan. 'Het is goed zo, ze zijn daar lief voor hem.'

Jules knikt. 'Het was zo moeilijk...'

'We gaan er gauw samen heen.' Ze veegt Jules' tranen af.

Jules kijkt Nona aan. 'Denk je dat hij beter wordt?'

Nona knikt. 'Ik weet het zeker.' En ze geeft hem een kus.

'Kom mee,' zegt ze. 'We gaan naar de camping. Er moet nog een heleboel gebeuren.'

'De camping...? O ja, de barbecueparty.' Jules was het helemaal vergeten. Hij kan er nu wel naartoe gaan, hij mag zijn vader toch pas morgen opzoeken.

'Spring achterop,' zegt Nona. Maar dat wil Jules niet.

'Ik fiets, anders wordt mijn been nooit sterk.' Het klinkt zo beslist dat Nona er niet tegenin durft te gaan.

Ze zijn halverwege als Jules' mobiel afgaat. 'We worden beroemd!' schettert Brians stem in zijn oor.

'Nona, het is Brian!' roept Jules. 'De muurschildering is echt!'

Nona weet meteen waar het over gaat. 'Mag ik Brian?' Ze rukt de mobiel zowat uit Jules' hand. 'Wat hoor ik?'

'Het is zover,' zegt Brian. 'Ik haal er een archeoloog bij.'

'Daar moeten we bij zijn,' zegt Nona. 'We komen meteen naar de grot.'

'Dat heeft geen zin,' zegt Brian. 'Ik heb al gebeld. Het is weekend, we moeten tot maandag wachten...'

15

Ze zijn keihard aan het werk. Het eiland ziet er heel feestelijk uit. In de bomen hangen lampionnen en overal staan fakkels. Het vlot is geweldig. Romeo en Stef varen de hele dag met spullen heen en weer. Het lijkt wel een verhuizing. 'Daar zijn we weer!' roepen ze en ze leggen het vlot voor het eiland. De anderen komen meteen aangehold om alles aan te pakken. Ze tillen de koelboxen met vlees van het vlot. 'Wat zijn dit?' vraagt Isa.
'Klaptafels,' zegt Romeo. 'Eén voor het buffet en één voor de bar.'
Nona, Jules en Brian worden met gejuich ontvangen. Er is ook zo veel werk. Nona houdt zich met het eten bezig. Op tafel komen bakjes met champignons, paprika, uitjes en sausjes te staan. Het moet een lopend buffet worden. Jules en Brian richten samen de bar in. Af en toe zeggen ze snel iets tegen elkaar over de grot. Niemand hoort het, daar is iedereen veel te druk voor. Kars en Edgar hebben kuilen gegraven. Daarin liggen kooltjes en eroverheen roosters waar het vlees op gegrild moet worden.
'We steken ze vast aan,' zegt Kars. 'Dan is het vuur straks lekker heet.'
'Hoe lang hebben we nog?' vraagt Brian.
'Een uur,' zegt Edgar. 'Doorwerken, jongens!'
'Moet je nou zien!' roept Isa. Ze kijken naar het vlot, waar de geluidsinstallatie op staat.
'Gaaf!' roepen ze.
'Alles is er,' zegt Stef. 'Wij zorgen wel voor het vuur, dan kunnen jullie de draaitafel opbouwen.'
Ze hebben geluk, het is een prachtige dag. Het zeil is niet nodig. Het is een keiharde planning, precies op tijd zijn ze klaar. Ad belt dat de eerste feestgangers zijn aangekomen.

'Wij gaan ze halen!' Romeo springt op het vlot en trekt de motor aan.

Langs de kant staan vier meiden. Ze laten hun kaartje zien dat ze bij het kantoor hebben gekocht.

Romeo scheurt het af. 'Ik ben jullie kapitein en Stef is de stuurman.' Hij pakt hun hand. 'Welkom aan boord, lady's. Helaas moeten we nog even wachten tot het vlot vol is.'

Dat duurt niet lang. Er komt alweer een groep meiden aan, met een jongen.

'We vertrekken!' roept Romeo als het vlot vol is. Een paar meiden probeert er nog stiekem op te klimmen, maar Romeo ziet het. 'Sorry, het Turbo Racevlot is zo terug.'

Ze gaan met de stroom mee, maar ze moeten wel bijsturen. Als ze erg scheef gaan, beginnen de meiden te gillen.

'Wauw...!' roepen ze verrast als ze op het eiland worden afgezet. 'Gaaf!!!'

Er klinkt al muziek. Een rustig nummer om lekker tijdens de barbecue te kunnen babbelen.

Net als op het eerste feest zijn Edgar en Kars weer deejays.

Vol spanning tuurt Edgar over het meer. 'Alweer een vlot vol meiden.'

'Je zit me toch niet op te fokken, hè.' Kars kan het niet geloven en rent zelf naar het strandje.

'Shit!' zegt hij zachtjes als hij het vlot ziet. 'Die Madelon heeft ons mooi een loer gedraaid, dit wordt niks. Die meiden komen om een leuke boy te ontmoeten.'

'Rustig nou maar,' zegt Romeo als hij de meiden heeft afgezet. 'De helft komt alvast voor mij.'

Tot overmaat van ramp komt Isa in een kano aan varen. 'Heb je de camping gezien? Er staat een hele rij voor het kantoortje, zowat allemaal meiden. Ik dacht dat jullie sexy Madelon tachtig jongens zou optrommelen. En mij uitlachen! Ik was nog optimistisch, ze heeft de vier niet eens gehaald.'

'Ja, wat heb ik daar nu aan? Trek liever een blik jongens voor ons open.'

'Ja, als er dan ook een voor mij bij zit,' zegt Isa. Ze heeft Nona nog niet eens gevraagd of Brian met haar wil zoenen, zo druk zijn ze geweest. Maar Nona zei dat het goed kwam, dus dat zal wel.

Isa kijkt naar Kylian. Hij staart wazig voor zich uit. Hij is hartstikke verliefd, dat merkt ze wel, hij hoort niet eens wat ze zeggen. Af en toe pest ze hem ermee. 'Ewoud...' fluistert ze dan in zijn oor. En dan wordt hij vuurrood. Iedereen is er inmiddels aan gewend dat Ewoud gay is. Ze mogen hem omdat hij zo grappig is. Alleen Axel heeft nog steeds rare praatjes, maar die mag Isa mag toch niet.

Edgar wijst naar een kano die eraan komt. Dat is Ad. Wat ziet hij er gestrest uit! Dat heeft hij meestal als er iets groots gaat gebeuren, maar dit keer is het wel heel erg.

'Dit wordt niks!' brult hij al vanaf het water. 'Ik had het nooit aan jullie over moeten laten. Hebben jullie de bezoekers gezien? Driekwart bestaat uit meiden.'

Dit had Kars net even nodig om te exploderen. Isa ziet dat hij woedend wordt.

'Dag pap, dat zoeken we zelf wel uit. Timboektoe heeft een goeie reputatie en die houden we heus wel, wedden?' Ze duwt de kano van haar vader het meer op.

'Goed gedaan, zus!' Kars steekt zijn duim op.

Het volgende vlot komt eraan. Weer vol meiden. 'Daar heb je Madelon ook,' zegt Brian.

'Dat die nog durft te komen,' zegt Isa. 'Wedden dat ze die paar jongens die er zijn zelf versiert?'

Het valt echt op dat er veel minder jongens zijn dan de vorige keer. Isa ziet Kylian bij het vuur staan. Ze doet haar handen voor zijn ogen.

'Wie doet dat?' vraagt Kylian.

'Ik ben het... jouw superhunkerige Ewoudje...' fluistert Isa.

'Dat kan niet.' Kylian springt op. 'Ewoud heeft heel grote stoere handen.'

'Dat je dat weet! Je hebt hem wel heel goed bekeken, hè?' plaagt Isa.

'Ssst...' Kylian wijst naar Ewoud, die het eiland op komt. Isa ziet dat hij even rondkijkt en dan recht op Kylian af stapt. Kylian wordt meteen rood.

'Ik laat jullie gezellig alleen,' zegt Isa.

'Nee, blijf nog even.' Kylian houdt haar vast. Het is duidelijk dat hij het te spannend vindt. Maar Kars wenkt haar en Isa moet gaan.

'Kijk nou, al die meiden,' zegt Kars. 'Hoe maken we er toch nog een echt Love-Island van?'

'Je kunt er een grapje over maken,' zegt Annabel. 'Dat er dit keer weinig jongens zijn, maar wel superleuke.'

Kars knikt. 'Zoiets dus.' Hij wil de microfoon al pakken.

'Wacht even, ik vaar nog even naar de camping. Misschien kan ik er nog een paar ronselen.' Isa stapt in een van de kano's. Ze is vandaag zo vaak op en neer gepeddeld dat ze er echt handig in is geworden.

Als ze over de camping loopt hoort ze een oorverdovend lawaai. Isa is niet de enige. Iedereen komt uit zijn tent en kijkt naar de weg. Er komen allemaal jongens aan op brommers. Ze crossen de camping op. Aan elke brommer hangen wel twee fietsers die zich laten voortslepen. Isa kan haar ogen niet geloven, het zijn er minstens vijftig, maar misschien wel meer. De sliert houdt niet op. Waar komen ze allemaal vandaan?

'Hier is het,' hoort ze een paar jongens in het Frans zeggen.

'Nou kijken of het echt zo super is als die Madelon zei.'

Heeft Madelon voor deze jongens gezorgd? Ze peddelt zo snel ze kan naar het eiland. Kars staat haar al op te wachten. 'Surprise!' roept ze.

'Wat bedoel je?' vraagt Kars.

'Er komen wel vijftig jongens aan!' brult Isa.

'Vijftig...!' roept Kars blij uit. 'Dat zal nog wel even duren voor die allemaal hier zijn.' Ze kijken vol spanning uit naar het vlot dat eraan komt. Er staan bijna geen jongens op, ze zien wel een heel hoge berg kleren en helmen.

'Super!' zegt Kars als hij de jongens even later het water uit ziet komen.

Madelon loopt naar hem toe. 'Zenuwpikkie, ik zei toch dat het een verrassing was voor hoeveel jongens ik zou zorgen.' Ze kijkt naar Romeo en Stef. 'Hoezo meidenoverschot? Jammer, hè? Toch verloren.'

'Vet goed gedaan,' zegt Kars tegen Madelon.

En dat vindt Isa ook. Madelon stijgt meteen in haar achting.

Er is een fantastische sfeer. Overal staan groepjes te praten. Er zitten ook al meiden en jongens rond de barbecues. Voor het buffet staat een rij. Op elke koelbox zit een sticker en daar staat op wat voor vlees erin zit. Iedereen wijst aan wat hij wil en dan maken Nona en Annabel de spiesen klaar.

Isa kijkt rond en dan gaat er een schok door haar heen. Justin staat ook in de rij. Ze kijkt even recht in zijn ogen, maar draait zich vlug om.

Annabel merkt dat Isa in de war is. 'We gaan deze avond een hunk voor jou zoeken, ik zie er wel een paar.'

Axel zegt hetzelfde tegen Justin. 'Heb je die meiden gezien bij de bar? Er zit wel iets voor ons tussen. We gaan zoenen, man!'

'Wat denk jij,' zegt Justin, zo stoer mogelijk. Hij is blij dat ze weer vrienden zijn. Dat komt door het voetbaltoernooi van gisteren. De ploeg van Justin won met 3-0. Axel kwam na afloop op hem af. 'Voor een watje ben je wel een vet goeie trainer,' zei hij. Ze moesten alletwee lachen en toen was de ruzie over. Maar Axel hoeft niet te weten hoe hij zich voelt. Hij wil niet weer voor watje worden uitgemaakt. Hij snapt zichzelf ook niet. Hij zou zich allang niks meer van Isa moeten aantrekken. Terwijl hij vlees aanwijst, kijkt hij toch stiekem om. Was ze maar niet zo mooi!

Isa kijkt ook steeds naar Justin, maar ze merken het niet van elkaar.

Als Brian het maar doet. Nou moet ze het weten. Ze zoekt Nona op.

Nona schrikt. 'Wat stom van me. Ik ben helemaal vergeten het te vragen. Dat komt door het goeie bericht.'

'Welk bericht?' vraagt Isa.

Nona fluistert het in Isa's oor.

'Geweldig!' roept Isa.

'Ssst... Brian wil het nog geheimhouden. Pas als de archeoloog is geweest is het helemaal zeker.'

'Wil je het dan nu aan Brian vragen?' vraagt Isa.

'Dat heeft geen zin,' zegt Nona. 'Brians hoofd staat nu echt niet naar zoenen.'

Wat een domper, Isa heeft spijt dat ze is gegaan. Ze had veel beter in haar tent kunnen blijven. Wat moet ze hier nou? De hele avond zien hoe Justin zich amuseert. Misschien versiert hij wel een meid. Dat zal haar niks verbazen. Zeker niet nu hij met Axel is. Ze gaat expres aan de andere kant van het eiland zitten, zodat ze Justin niet ziet. Een eindje van haar vandaan staan Kylian en Ewoud. Het moet iedereen opvallen hoe verliefd die twee zijn.

Ewoud duwt Kylian een biertje in zijn hand. Hoe die twee naar elkaar kijken als ze toosten! Isa merkt hoe graag ze Kylian mag. Ze knapt meteen op, maar dat komt ook door de gezellige sfeer. Overal liggen spiesen op het vuur en er hangt een heerlijke geur van geroosterd vlees.

Langzamerhand wordt de muziek harder. Een paar stelletjes beginnen te dansen en dan komen er steeds meer bij. Maar sommigen zitten ook tegen elkaar aan op een boomstronk. En anderen op het strandje, met hun voeten in het water.

Isa staat achter de bar, dan voelt ze zich tenminste nog een beetje nuttig. Ze heeft al heel wat biertjes verkocht als ze opkijkt van een stem door de microfoon. Is dat Kylian?

'*Everybody happy?*' schalt zijn stem over het eiland.

'*Yes!*' wordt er gegild.

'Dat dacht ik al, zo te zien komt er elke minuut een verliefd paartje bij. En dat is heel mooi, heel erg mooi! Maar soms als je op iemand verliefd bent, kun je ook ineens ruzie krijgen om iets heel stoms en dan is het zomaar uit. Jullie kennen vast allemaal wel iemand bij wie dat zo ging. Het volgende nummer is voor twee kanjers die dat deze vakantie is overkomen. In Timboektoe nog wel! Timboektoe is hot, toch?'

'Yes!' roepen ze.

'Dus dat kan helemaal niet, zeker niet op Love-Island. Lieve Isa en Justin, die onzin heeft nu lang genoeg geduurd. Wij willen jullie weer zien dansen.' En nog geen tel later klinkt hun lievelingsnummer over het eiland.

Isa ziet bleek van schrik. Heeft Kylian er dan niks van begrepen? Sommige verliefden moeten het goedmaken, maar Justin en zij niet. Hoe kan ze nou met hem dansen? Dit cd'tje heeft hij haar niet voor niks teruggegeven.

'Dansen!' Nona, Annabel, Kylian en Brian trekken Isa naar de dansplek. En dat doen Romeo en Stef met Justin. Voor het eerst staan Isa en Justin weer tegenover elkaar.

'Wil je wel met me dansen?' vraagt Justin. 'Het was ons liedje, en jij wilde het niet meer hebben.'

'Nee,' zegt Isa. 'Dat was jij. Jij hebt het teruggegeven.'

'Teruggegeven?' zegt Justin verbaasd. 'Hoe kom je daarbij? Ik had het juist gegeven om het goed te maken?'

Wat...? Isa en Justin kijken elkaar aan. Ze hoeven al niks meer te zeggen. Ze kunnen nog maar één ding: elkaar omhelzen. Voor ze zelf doorhebben wat er precies aan de hand is, zoenen ze.

'Ik heb je zo gemist...' fluistert Isa.

Justin zegt niks. Hij kan niks zeggen, maar zijn ogen zeggen genoeg. Isa is dolgelukkig! Ze schuifelt met Justin tussen de andere stelletjes, heel dicht tegen hem aan. Ook nog als hun nummer allang is afgelopen. Is het wel echt wat er gebeurt?

'Knijp eens in mijn arm?' vraagt Isa.

Het is zeker echt. Het is Justins hand die haar streelt. Wazig kijkt ze op als ze Brians gezicht ziet. Wat heeft hij? Waar kijkt hij naar? Isa volgt Brians ogen en dan ziet ze het ook. Brian kijkt naar Kylian en Ewoud die zoenen. Er zijn meer jongens en meiden die naar hen kijken. Sommigen beginnen te giechelen. Maar Kylian en Ewoud zijn zo verliefd, dat het hun niks kan schelen.

En Brian kijkt maar, terwijl hij alles om zich heen vergeet. Hij merkt niet eens dat Nona een biertje in zijn hand duwt. De hele avond heeft hij het zich afgevraagd. Hoe zou het toch komen dat hij niet met een meisje wil zoenen? Maar nu hij Kylian en Ewoud ziet, gaat er een schok door hem heen. Zou hij het met een jongen wel willen? Nona stoot hem aan. 'Moet je Jules zien, die loopt ons te zoeken.'

Jules… denkt Brian. In zijn gedachten ziet hij zichzelf met Jules schuifelen. Een gevoel van geluk stroomt door hem heen en van schrik laat hij zijn glas vallen.

Carry Slee

See you in Timboektoe

D e ouders van Isa en Kars hebben een camping in Frankrijk
gekocht. Isa en Kars balen daar behoorlijk van: nu moeten ze
naar Frankrijk verhuizen! Hoe moet het met hun vrienden,
en met Justin, op wie Isa smoorverliefd is? Als ze de foto's van de camping op de website bekijken, schrikken ze zich rot. Gaan ze in dat gat
wonen? Uit protest noemen ze het Timboektoe.
Met hun vrienden ontwikkelen ze een serie superplannen om daar te
kunnen overleven. Maar of hun ouders daar ook blij mee zijn?

See you in Timboektoe is het eerste deel in de flitsende serie over Isa
en Kars, en hun camping Timboektoe. Er zullen nog veel delen volgen,
vol verdriet, spanning, verliefdheid en romantiek!

Vanaf 12 jaar
ISBN 90 6494 124 6
NUR 284

Over Carry Slee

Carry Slee is een kinderboekenschrijfster die zeer geliefd is. Zij werd negen keer door de Nederlandse Kinderjury bekroond en vijf keer door de Jonge Jury.

Carry Slee werd in 1949 geboren in Amsterdam. Al op jonge leeftijd was ze veel met verhalen en boeken bezig. Toen ze nog niet kon schrijven, bedacht ze verhaaltjes voor haar knuffeldieren. Ze zette haar knuffels in een kring om zich heen en las voor uit eigen werk. Op de lagere school had ze een schrift waarin ze korte verhalen en gedichten noteerde.

Na de middelbare school ging ze naar de Academie voor Woord en Gebaar in Utrecht. In 1975 slaagde ze voor deze opleiding. Ze werd dramadocent in het middelbaar onderwijs. Haar schrijverskwaliteiten kwamen toen goed van pas, want samen met haar leerlingen bedacht ze verhaallijnen waar ze vervolgens compleet uitgewerkte toneelstukken van maakte. De toneelstukken werden, vaak met groot succes, opgevoerd door de leerlingen.

Carry Slee heeft twee dochters, Nadja (1979) en Masja (1981), die haar grootste inspiratiebron vormen. Toen haar dochters nog jong waren, bedacht Carry verhalen voor hen waarin Keetje Karnemelk de hoofdrol speelde. Nadja en Masja vonden de verhalen zo leuk dat Carry Slee besloot ze naar het tijdschrift *Bobo* te sturen. Daarin werden ze gepubliceerd. Gestimuleerd door het succes van Keetje Karnemelk stortte Carry Slee zich op een boek over de belevenissen van de tweeling Rik en Roosje. Ze bood het manuscript aan bij uitgeverij Van Holkema & Warendorf, waar het in 1989 in boekvorm verscheen. Hiermee begon een succesvolle carrière. Tegenwoordig geeft ze haar boeken, ook twee boeken voor volwassenen, uit bij Uitgeverij Prometheus. Inmiddels is Carry Slee fulltime auteur en verschenen er meer dan vijftig boeken van haar hand.

Carry Slee schrijft voor kinderen van alle leeftijden. Soms zijn haar boeken gebaseerd op dingen die echt gebeurd zijn; in andere gevallen zijn de verhalen verzonnen. Carry Slee schrijft klare taal, die kinderen aanspreekt. De situaties die ze beschrijft, zijn heel herkenbaar en de personages zijn zo goed uitgewerkt dat de lezer zich er makkelijk mee kan identificeren. Haar boeken zijn altijd spannend en zo geschreven dat je ze in een keer uit wilt lezen.

Behalve onder haar eigen naam schrijft Carry Slee boeken met een meer poëtisch karakter onder het pseudoniem Sofie Mileau. Elke keer dat je de boeken leest, valt er iets nieuws in te ontdekken.

In haar boeken schuwt Carry Slee moeilijke onderwerpen als homoseksualiteit, pesten en scheiden niet. Door haar humoristische en luchtige stijl worden haar boeken echter nooit te zwaar. Ze schrijft eerlijk over het feit dat ouders twijfelen en niet altijd op elke vraag een antwoord weten. Zo probeert zij kinderen aan te sporen om problemen op een creatieve en fantasierijke manier het hoofd te bieden.

Kijk ook op www.carryslee.nl